D1722206

YOSIP IBRAHIM

YO VISITÉ GANÍMEDES

EL MUNDO MARAVILLOSO DE LOS OVNIS

Si este libro le ha interesado y desea que lo mantengamos informado de nuestras publicaciones, escríbanos indicándonos cuáles son los temas de su interés (Astrología, Autoayuda, Esoterismo, Qigong, Naturismo, Espiritualidad, Terapias Energéticas, Psicología práctica, Tradición...) y gustosamente lo complaceremos.

Palabras del autor

Sé que muchos pensarán que miento, y me expongo al más acerbo ridículo ante el concepto adocenado de aquéllos que, siguiendo la corriente del pensamiento común de las gentes «serias», no se atreven a hablar en público de asuntos que todavía no han sido comprobados científicamente por ese conjunto tan respetable de sabios de la Tierra que –al igual que sus colegas de antaño–, sólo aceptan los fenómenos producidos por ellos mismos en sus propios laboratorios y dentro de sus propios métodos o sistemas de investigación.

Pero al escribir estas líneas, por extrañas que resulten a todos ellos, me limito a cumplir la promesa hecha a un hombre al que me unió la más estrecha y fraternal amistad; una persona cuya sinceridad y rectitud de conducta pude apreciar desde los días lejanos del colegio. Él me narró los hechos a que voy a referirme, dándome pruebas irrefutables de su veracidad, antes de abandonar este planeta para ir a vivir en otro lejano astro de nuestro sistema solar.

Ya no me importa la risa burlona de muchos, ni la piadosa idea de quienes piensen que he perdido la razón. Cumplo la palabra dada al hombre que fue para mí un hermano, y declaro, con todo valor ante el escarnio, que los hechos extraordinarios motivo de esta narración no han sido fruto de una mente alucinada, ni producto de una fantasía de escritor, sino la realidad cruda y tangible, asombrosa es cierto, pero vivida conscientemente por un hombre de esta Tierra que hoy se encuentra, muy lejos, en el Cosmos...

YOSIP IBRAHIM

YO VISITÉ GANÍMEDES

«Este libro debería encontrarse en todos los hogares de la Tierra, por sus valiosas lecciones de amor, de Confraternidad Universal y de elevada superación para toda nuestra humanidad».

EVARISTO ALPRECHT DEL ALCÁZAR

CAPÍTULO 1

La visita del OVNI

Fui amigo de Pepe desde niño (permítaseme guardar respetuoso silencio sobre su verdadero nombre). Crecimos juntos, y juntos pasamos también las etapas de la adolescencia, la juventud fogosa y alegre, y la madurez reposada de hombres comunes y amantes de la vida hogareña, de esa vida modesta y sencilla que llevan en este mundo millones de seres de la clase media. Ambos, igualmente, pudimos disfrutar de una educación esmerada para asegurar una vida cómoda y respetable que, sin estar exenta de las luchas y problemas comunes a la generalidad, nos permitió formar hogares dignos. Pepe y yo tuvimos la suerte de encontrar esposas buenas, comprensivas, hacendosas, y aunque él no llegó a tener hijos, como yo, había disfrutado de treinta años de vida conyugal verdaderamente feliz. Con laboriosidad y honradez logró reunir lo preciso para rodear a su esposa de los elementos suficientes para una vida tranquila, y en los últimos años de su matrimonio gozaron de la comodidad de una casa propia, rodeada por un amplio y hermoso jardín.

Así llegó el momento en que el destino dispuso la separación de los dos cónyuges: una noche, de manera intempestiva, dejó de latir el corazón de su dulce compañera, y desde ese instante cambió la vida de mi amigo por completo. Siempre había sido aficionado al estudio de temas profundos. Conocía a fondo la Psicología, la Filosofía y la Metafísica; la mayoría de las veces dedicaba largas horas a la investigación del pasado de la humanidad y en la resolución de problemas relacionados con la Vida y con el Cosmos. A la muerte de su esposa, después de los primeros días del fatal impacto, se había encerrado en su casa, en medio de sus recuerdos y sus libros, y fue para mí una árdua tarea lograr sacarlo, de rato en rato, para procurarle alguna distracción.

Transcurrieron varios meses desde el sepelio de su señora, y nuestra amistad, cada vez más estrecha y más íntima, hizo que nos viéramos y pasáramos juntos largas horas todos los días. Llegó a ser cotidiano compañero de mesa de los míos, y mis hijos se acostumbraron a tratarlo como «el tío Pepe», y a esperar su llegada con gran interés, porque siempre tenía alguna historia amena y divertida que contar... Así las cosas –hace de esto apenas dos meses– nos sorprendió no recibir su acostumbrada visita. Esperamos hasta tarde para almorzar, y en vista de que no llegaba, llamé repetidas veces por teléfono a su casa, sin obtener respuesta. Sabíamos que desde la muerte de su esposa, tenía sólo a su servicio un antiguo mayordomo; pero se había habituado a cerrar con llave todas las puertas de la residencia cada vez que salía, y aun en la noche, permanecía encerrado en la casa, pues el criado tenía una vivienda aparte, en el jardín, sin comunicación alguna con el resto del edificio ni por teléfono.

Como el resto del día no logré comunicarme con él, esa noche insistí en mis llamadas, con idéntico resultado. Nos extrañaba aquel silencio, tan inusual, y sabíamos por experiencia que no solía pernoctar fuera. Por tales razones, al no contactar con él a la mañana siguiente, fui en su busca. Encontré al mayordomo nervioso y profundamente extrañado.

—No sé nada del señor –me dijo–. Anteanoche llegó a la hora de costumbre, cerró las puertas como siempre... y no lo he visto en todo el día.

—¿Ni a la hora del desayuno?

—Tampoco; no ha abierto las puertas en ningún momento...

Guardé silencio. Una sospecha cruzó por mi mente. Busqué en mi llavero las llaves que Pepe me había dado a poco de morir su esposa. En esa ocasión me había dicho: «Tómalas para que puedas entrar cuando quieras. Si alguna vez no abriese las puertas como todos los días, hazlo tú por mí... Y si me encontraras muerto, cumple las indicaciones de un sobre lacrado que hay en el cajón central de mi escritorio». Con tales pensamientos entré en la casa acompañado por el criado. Todo estaba en perfecto orden. Incluso la cama no había sido descubierta; pero el cobertor arrugado denotaba que el cuerpo de una persona había reposado sobre ella sin destaparla. Junto al sillón, el cenicero del velador estaba lleno de colillas. Se veía que esa noche había estado fumando mucho, pero no había ningún indicio de su paradero.

Cada vez más intrigado, después de buscar por todas partes con la esperanza de hallar algún papel, alguna nota que hubiese podido arrojar luz sobre su extraño proceder, tan alejado de su conducta diaria, llamé por teléfono a las personas que pudieran saber algo. Nadie lo había visto desde días antes. En cuanto al mayordomo, aseguraba haber hablado con él aquella noche, sin haber notado nada extraño en sus palabras o actitudes.

Yo no sabía qué pensar. Conociendo íntimamente el carácter y los hábitos de mi amigo, no podía aceptar la idea de una aventura romántica o sexual, especialmente en aquellas circunstancias, pues el mayordomo aseguraba haber visto prendida la luz de su dormitorio hasta medianoche, hora en que se quedó dormido. Por otra parte, la casa dista mucho de la ciudad y el único medio de comunicación con ella es por la Carretera Central, y la pista a Monterrico en automóvil. Y Pepe no había sacado tampoco su coche del garaje.

Discurríamos por el jardín, tratando de encontrar soluciones lógicas a tan extraña desaparición, cuando reparé en ciertos detalles que al principio no me habían llamado la atención: en la parte central de aquella superficie cubierta de pasto, sobre una extensión de unos quince a veinte metros de diámetro, aparecía la yerba quemada en un amplio círculo en cuyo centro se apreciaban, también, las huellas de aplastamiento dejadas por un artefacto grande y suficientemente pesado como para imprimir sobre el suelo cuatro grandes agujeros.

—¿Quién ha hecho esto? –le pregunté al mayordomo.

—No sé, señor...

—¿Desde cuándo están estos huecos aquí?

—No sé, señor... es la primera vez que los veo.

—¿Y esa hierba quemada?

—Yo no la he quemado, señor...

—¿Y Pepe?

—No lo creo, porque hace mucho que no baja al jardín.

Miré largamente al hombre en silencio. Estaba nervioso, pero hablaba con franqueza. Lo conozco desde hace años, y siempre ha sido serio y honrado. Dábamos vueltas altededor de aquellas misteriosas marcas y cada vez nos resultaba más confuso y enigmático todo aquello. Habían pasado dos horas desde mi llegada. Tenía asuntos urgentes que atender en la capital y opté por regresar a Lima. Esta vez, antes de abandonar la casa, cerré con llave todas las habitaciones interiores, dejando abierta la comunicación con el teléfono, y le di instrucciones al mayordomo de que me llamara diariamente en caso de que Pepe tardase en regresar.

A lo largo del trayecto, durante la media hora que se tarda desde Monterrico hasta Lima, trataba de hilvanar mis pensamientos y encontrar una respuesta lógica a lo que estaba sucediendo. Mi intimidad con Pepe, que no tenía secretos para mí, me hacía sospechar que si hubiera mediado en él algún plan preconcebido, algo de ello me habría dado a entender. Sin embargo, nada hubo en su actitud diaria que pudiese relacionar con lo que estaba ocurriendo. Y si esa noche hubiera salido en forma normal de su casa, habría necesitado el coche, que permanecía guardado en el garaje. Se podía suponer, en todo caso, que otra persona o personas lo hubiesen recogido; pero eso no podía haber sido sino después de las doce de la noche, porque el mayordomo aseguraba haber estado despierto hasta esa hora, y que antes de dormirse había visto prendidas las luces del dormitorio de Pepe. Si alguien lo hubiese buscado pasada esa hora, habría tenido que hacer sonar el timbre de la puerta exterior del jardín, y ese timbre se comunica directamente con la vivienda del mayordomo. Cabía pensar, aún, que mi amigo hubiera quedado con alguien para que fuera por él; pero en tal caso habrían convenido en no hacer ningún ruido perceptible por el criado. Esta deducción tomó cuerpo en mí al recordar que no se había acostado y que el cenicero del velador estaba lleno de colillas. Ello sugería un plan premeditado por él. De ser cierto, los hechos debían relacionarse con alguna faceta de la vida íntima de mi amigo que yo desconocía. Esto no me parecía lógico; al menos así lo quería entender, por la profunda y amplísima confianza existente entre ambos.

Cuando llegué a mi casa a la hora del almuerzo, la situación no había cambiado. Ninguna noticia de Pepe. Y en mi fuero interno iba cobrando fuerza la sospecha de que existiera en su vida algún secreto, guardado tan celosamente que ni yo, su confidente, conocía...

Corrieron los días y transcurrió una semana sin tener el menor indicio de él. Mi esposa y su empleado me pedían que avisara a la policía. A mis hijos, de común acuerdo con mi mujer, les habíamos dicho que estaba de viaje. Yo deseaba ganar tiempo en espera de que Pepe apareciera de un momento a otro, y no quería llegar a medidas precipitadas, por la sospecha de que en todo ello hubiera algún designio privado, voluntario de mi amigo. Varias veces estuve tentado de abrir el sobre lacrado que había dejado en el cajón de su escritorio. Pero otras tantas me contuve, obedeciendo las instrucciones que aparecían escritas en ese sobre:

«Para el Sr. Yosip Ibrahim»

«Mi querido Yosip:

Si yo muriese repentinamente, te ruego que abras este sobre y que realices al pie de la letra todas las indicaciones en él contenidas, antes de proceder a mi sepelio. **Pero no lo abras por ningún otro motivo**». «Pepe».

Estas enigmáticas palabras iban afirmando en mi fuero interno la convicción de que existía un acto voluntario, un determinado propósito sólo conocido por él y por quienes, forzosamente, tuvieron que participar en su sigilosa salida. Por tales razones volví a oponerme a que se tomaran medidas policiales o de otra índole. Pero ¿quiénes podían ser la persona o personas participantes en tan misterioso proceder?... Con toda prudencia, y sin dar a conocer los verdaderos motivos, indagué entre todas las amistades comunes, relaciones comerciales y de todo orden, siendo negativas cuantas investigaciones llevé a cabo. Nadie sabía nada de Pepe.

Nuestra intranquilidad aumentaba con el paso de los días, y llegué a temer que hubiese sido objeto de algún atentado por motivos que no alcanzaba a imaginar. Al acercarse el fin de la segunda semana sin noticias, nuestra tensión nerviosa estaba a punto de estallar.

—¡No podemos continuar así! –me repetía mi mujer a cada instante–. Debes hacer algo, y de inmediato... ¿No te das cuenta de que pueden complicarte gravemente por tu inercia, si le ha sucedido alguna desgracia? ¿Cómo explicarías tu silencio... tu calma para denunciar su desaparición...?

Eso mismo pensaba yo también. Ya habían transcurrido más de dos semanas. Mi estado de ánimo era tal que no podía trabajar ni dormir tranquilo. Aquella noche –dieciocho días exactos desde la noche de su desaparición– ni mi esposa ni yo pudimos conciliar el sueño. Toda la madrugada la pasamos discutiendo sobre la conveniencia de dar parte a la policía. Al amanecer, estábamos de acuerdo en hacerlo esa misma mañana. Como no habíamos pegado ojo en toda la noche, el cansancio nos venció y ambos nos quedamos dormidos. Pero no duró mucho nuestro descanso. A las ocho de la mañana, el timbre del teléfono, sonando insistentemente, nos despertó.

—¿Eres tú, hermano? –preguntó la voz de Pepe al otro extremo de la línea.

—¿Qué te ha sucedido?... ¿Dónde has estado?... ¿De dónde llamas?

—Hablo desde mi casa. Estoy bien; pero no puedo explicarte nada por teléfono. Necesito hablar urgentemente contigo, a solas. No le digas nada a nadie. ¿Puedes venir hoy mismo?

—¡Claro!... Voy a verte en cuanto me vista... Pero ¿qué es lo que pasa?

—Te repito que no puedo decirte nada por teléfono. Perdona las molestias que seguramente os he ocasionado, según lo que me cuenta Moisés. No he podido evitarlo. Abraza a Rosita y a los chicos y ten la bondad de venir lo antes posible, pues el tiempo apremia. No me preguntes nada ahora. Cuando estés aquí te lo explicaré todo...

Dos horas más tarde, al llegar a su casa, salió a abrir Moisés, el mayordomo. El hombre era presa de fuerte excitación, y sin darme tiempo a preguntar nada, me dijo apresuradamente:

—¡Señor! ¡Anoche lo trajeron... en un «platillo»... con estos ojos lo he visto!... ¡Era una máquina enorme... de esas que dicen que vienen de otros mundos...!

Hablaba mientras nos dirigíamos a la casa atravesando el jardín; antes de entrar señaló el centro de la explanada de césped.

—¡Allá están de nuevo las marcas que vimos la otra vez...! ¿Se acuerda, señor de la hierba quemada y de los huecos que nos llamaron la atención?... ¡Los ha hecho el «platillo»...!

Pepe salió a recibirme y me condujo directamente a su despacho. Yo me había quedado mudo. Las palabras del criado eran algo inexplicable para mí. Y mi amigo no me dio tiempo a salir del asombro. Actuaba con rapidez pero con sereno aplomo. Como vio en mis ojos la emoción que me embargaba, sonrió.

—Te voy a servir un whisky. Comprendo lo que te pasa –me dijo– y necesitas estar tranquilo, para que puedas poner toda tu atención en lo que debo explicarte.

—¡Pero... ! ¿Qué significa eso del «platillo»?

—Veo que Moisés ya te lo ha dicho. –Hizo una pausa mientras me servía el licor, y haciéndome tomar asiento, continuó–: Comprendo tu estado de ánimo y deseo informarte de todo, comenzando desde el principio.

—Pero... ¿Dónde has estado? ¿Por qué no nos has dejado ningún aviso?

—No podía... Todo fue vertiginoso, imprevisto hasta cierto punto. No me fue posible comunicarme con nadie, pues me llevaron fuera de este mundo... Escúchame tranquilo y no pienses que me he vuelto loco. Lo que te acaba de decir Moisés es cierto: He viajado en un OVNI, en uno de esos aparatos a los que el vulgo ha bautizado con el nombre de «platillos volantes»... He conocido un mundo maravilloso... ¡un verdadero paraíso!... y voy a regresar a él...

—¡¡Qué...!!

—Sí, Yosip... Comprendo tu asombro y tengo que contarte minuciosamente todo lo sucedido; y, además, quiero pedirte que me ayudes a arreglar mis asuntos personales, porque dentro de quince días volverán por mí...

—¿Quiénes...? ¿De qué estás hablando...?

Pepe guardó silencio. Me miró profundamente. En sus ojos creí advertir un brillo extraño, una expresión desusada en él. Su mirada parecía penetrar hasta lo más recóndito de mi conciencia, y sentí la rara impresión de que, a través de esa mirada, una voz me hablaba con palabras inaudibles pero que podía entender en lo más hondo de mi ser y que me decía: «¡Espera y escúchame con toda atención!»

Abrió el cajón de su escritorio y extrajo el sobre lacrado.

—¿Te acuerdas de esto?

Asentí con la cabeza. Él abrió el sobre y, sacando un voluminoso paquete de documentos continuó:

—Vas a conocer ahora lo que te pedía que hicieras en caso de mi muerte. Las circunstancias han cambiado de forma imprevista; los hechos a que voy a referirme han modificado de tal manera mi vida, que voy a poner en práctica todo lo que en este sobre te indicaba, con la única excepción de aquellos detalles que se referían a mis instrucciones *post mortem*, que ya no van a ser necesarias.

Pero antes, prométeme guardar el más estricto secreto, mientras yo permanezca aquí, sobre todo, lo que ahora vas a conocer, secreto que mantendrás hasta que yo me haya ido de este mundo.

—¿Estás hablando en serio?

—Completamente en serio... Y por eso te pido que guardes el más absoluto silencio sobre todo lo que vas a conocer y sobre los pasos que ambos hemos de dar en estos días... ¡No me interrumpas! Voy a revelarte un detalle íntimo de mi vida que nadie conoce en este país. Lee esto...

Me alcanzó un documento que había extraído del sobre. Era algo así como un diploma, escrito en lenguaje que yo desconocía, y adornado con extraños símbolos y figuras orientales.

—Está escrito en sánscrito –me dijo–, y es el título de admisión en una antiquísima orden esotérica secreta, a la que pertenezco desde hace más de treinta años. Tú ya sabías de mis estudios filosóficos y metafísicos; pero nunca pude revelarte que esos estudios estaban tan avanzados que había llegado al dominio de conocimientos y desarrollo de facultades que muy pocos poseen en este mundo. Desde la muerte de Marita me propuse investigar, en ese terreno, el enigma apasionante de los ovnis. Tenía referencias especiales acerca de ellos y, al amparo de los poderes adquiridos en mi largo adiestramiento esotérico, emprendí la tarea de hallar la forma de comunicarme con los seres que los dirigen. Después de largos meses de esfuerzos logré una primera comunicación mental, que luego se repitió, telepáticamente, de manera más convincente y positiva. Pude llegar a captar un mensaje inteligible y, más tarde, una conversación concreta y plenamente satisfactoria. De tal suerte, la noche aquella, en el más profundo secreto, me había preparado para recibir un nuevo mensaje... pero en vez del mensaje llegaron ellos, en persona... Horas antes había establecido la comunicación acostumbrada, y por toda respuesta recibí esta orden: «¡Espéranos!»

—Pero, ¿hablan nuestro idioma?

—No es exactamente eso... El lenguaje hablado o escrito necesita de la emisión de sonidos, de estructuración de palabras y frases. El lenguaje telepático, por medio de la transmisión del pensamiento, no tiene esas limitaciones. El pensamiento se manifiesta a través de ondas electromagnéticas parecidas a las que emplean la radio y la televisión, y que, en verdad, se encuentran muy cerca de éstas en lo que podemos llamar la «escala cósmica de frecuencias». Nuestro cerebro, y todo el sistema nervioso, pueden ser comparados con un sistema transmisor-receptor, de una sutileza y calidad muy superiores a todas las máquinas creadas por el hombre. De esa manera es posible comprender cómo se producen los fenómenos de ideación, o formación de imágenes internas dentro del circuito cerrado que constituye nuestro cuerpo, en otras palabras, cómo pensamos; y también la posibilidad de emitir esas ondas y de recibirlas, según sea la potencia y la habilidad que se tenga para efectuar ese trabajo. ¿Me comprendes?... Así nos entendimos... Dos horas más tarde, en la madrugada, una luz poderosa iluminó el jardín y vi descender suavemente la máquina...

—¿Cómo son...?

—Muy parecidos a nosotros, aunque poseen características especiales, diferencias propias de un desarrollo evolutivo con un millón de años, aproximadamente, más adelantado que el nuestro...

Pero permíteme continuar, que, en su momento, conocerás todos esos detalles. Debo confesarte que, pese al fuerte dominio propio a que estoy acostumbrado, como fruto de la férrea disciplina que seguimos en la Orden, la presencia de aquella nave extraterrestre en mi jardín me produjo una viva emoción. Salí a la puerta y esperé. Lentamente se descorrió un paño de la cúpula metálica del «platillo», dejando al descubierto el marco de una entrada. En ella aparecieron dos personas vistiendo algo así como las escafandras que utilizan nuestros astronautas. Se detuvieron en esa puerta y, mientras desde la máquina se proyectaba una escalera mecánica, mi cerebro captó claramente la invitación que me hacían para acercarme y subir al aparato. Venciendo el temor que la parte material de mi naturaleza humana imprimía en mi conciencia, obedecí. Me recibieron con demostraciones inequívocas de satisfacción, y en el silencioso lenguaje telepático que nos comunicaba me hicieron saber que era bienvenido, y tenían la misión de conducirme ante sus superiores para mostrarme cosas que los hombres de este mundo debían conocer. Fui conducido amablemente al interior. Era un recinto circular rodeado de tableros de control. Algo así como la sala de mandos de un submarino o una cabina de controles electrónicos. Ahí nos esperaban otros tres tripulantes, y el que parecía ser el jefe me ofreció una vestimenta parecida. Me dijeron que íbamos a viajar fuera de la Tierra. Que no temiera nada, porque su misión era de paz y de enseñanza. Que cumplían órdenes sabias que sólo buscaban el mejoramiento de todos los habitantes de nuestro sistema solar, y que las preguntas que leían en mi pensamiento serían satisfechas únicamente por sus superiores.

Se había cerrado la compuerta del exterior y vi cerrarse, igualmente, otra mampara de separación interior. Mientras los dos que me habían recibido fuera me ayudaban a ponerme esa extraña escafandra, los otros ocuparon sus puestos junto a sendos aparatos con múltiples botones. Se oyó un ligero silbido y la vibración de todo el conjunto me dio a entender que partíamos. Uno de mis asistentes me invitó a mirar por un amplio ventanal, y mi sorpresa fue grande al ver que nos elevábamos con tal rapidez que la Tierra empezaba a verse en toda su redondez y, segundo a segundo, más pequeña. Al preguntarles a qué velocidad íbamos, sonrieron.

—Estamos empleando marcha lenta hasta salir de la atmósfera de este mundo –fue la respuesta–. Más adelante utilizaremos velocidad de crucero.

Pasaban los minutos. Desde el ventanal contemplaba absorto cómo se alejaba la Tierra, que ya no era sino una simple bola, cual un balón de fútbol. De pronto un nuevo silbido y una trepidación más fuerte me hicieron notar que la velocidad aumentaba. El espacio que nos rodeaba, fuera de la máquina, era negro, tachonado de diminutos puntos luminosos. En un corto lapso nuestro planeta se estaba convirtiendo en uno de esos lejanos puntos, y no pude menos que sentir un escalofrío en todo mi ser. Mis dos acompañantes me observaban, y uno de ellos me puso una mano en el pecho. Experimenté la sensación de que por mis venas circulaba una fuerza extraña, algo así como el efecto de un estimulante cardiaco en los casos de shock. El conato de desvanecimiento desapareció y minutos después me sentía reconfortado y sin ningún temor.

Me invitaron a tomar asiento en uno de los raros pero muy cómodos sillones que había en el recinto. Todo el conjunto tenía aspecto metálico; pero en los sitios de contacto con el cuerpo era de suavidad y plasticidad superiores a cualquier material que yo conociera. Consulté mi reloj y vi que había transcurrido una hora desde la partida. Mientras descansaba, traté de calcular la distancia que nos separaba de la Tierra, que sólo era como un gran lucero en el espacio, y mi asombro no tuvo límites al darme cuenta de que debíamos encontrarnos a muchos cientos de miles de millas...

Los tripulantes estaban dedicados a observar los mecanismos de control, y pocos minutos más tarde me llamaron al ventanal.

Frente a nosotros, muy lejana aún, se distinguía una luz celeste que se agrandaba rápidamente.

—Esa es nuestra base –me dijeron.

Al mismo tiempo noté que la máquina reducía su velocidad. El foco luminoso se acercaba vertiginosamente. Dos minutos y ya pude ver claramente algo como una enorme bola brillante que, a medida que nos íbamos acercando, mostraba los contornos de una gigantesca estructura metálica esferoidal. Nuestra nave fue disminuyendo la rapidez de su vuelo, y pocos segundos más tarde girábamos en torno a aquella mole suspendida en el espacio. Podía apreciarse una serie de extrañas construcciones, posiblemente edificios, y otros aparatos iguales al que ocupábamos, ordenadamente alineados en lo que supuse sería una pista circular de estacionamiento. Nuestra máquina se detuvo exactamente sobre el centro de aquella pista, o lo que fuera, manteniéndose inmóvil a una altura aproximada de trescientos metros.

Al poco rato, ante las señales emitidas por una de las pantallas de control, comenzamos a descender suavemente hasta posarnos, sin la menor trepidación, en esa gran plazoleta de metal. Los que me habían asistido durante el viaje me dijeron que bajara con ellos. Me regularon unas llaves del casco de la escafandra, y las puertas corredizas se abrieron. Abajo esperaban otros seres con iguales vestiduras, quienes me guiaron hasta una construcción semiesférica a uno de lo extremos del lugar en que quedó la astronave.

No pude ver, por ninguna parte, focos de luz, reflectores, o algo por el estilo. Sin embargo, todo aquel sitio estaba profusamente iluminado, como si fuera de día. Era como si de las mismas estructuras emanara la luz en todo el conjunto. Fui introducido en ese raro edificio, y mientras atravesábamos varios pasillos y salas, en que aprecié mobiliario y artefactos enteramente distintos a los que yo conocía, me di cuenta de que también en el interior reinaba la misma luz de fuera, sin distinguir ventanas ni lámparas de ninguna clase. Nos detuvimos ante un arco cerrado por una mampara de bruñido metal que, al levantar una mano mi acompañante, se abrió lentamente.

Mi guía me invitó a entrar. Al hacerlo, vi que se quedaba atrás y la mampara metálica volvía a cerrarse. Inquieto miré a mi alrededor. Estaba en una amplia sala circular, decorada sobriamente con escasos muebles, todos de aspecto metálico. En el centro había una gran mesa del mismo material y ante ella, sentado en un sillón parecido a los que viera en el ovni, me esperaba un hombre de figura imponente que no vestía escafandra sino una especie de malla de textura brillante como los muebles. Su estatura era mayor que la de los otros y que la mía, siendo su cabeza, proporcionalmente al resto del cuerpo, ligeramente más grande que lo común en la tierra. Por lo demás, el rostro no acusaba diferencias que pudieran ser desagradables a nuestro gusto estético, y pude notar en sus ojos, de brillo inusitado, una aparente expresión de dulzura.

—No temas –me transmitió en el poderoso lenguaje telepático, lenguaje que yo sentía cada vez más nítido y claro en mi interior–. Estás entre seres que sirven a todas las humanidades de este sistema planetario, como ustedes lo llaman. Vivimos para la Paz, el Amor y la Luz. Hemos recibido tus mensajes y analizado tus pensamientos. Sabemos que conoces muchas cosas que la mayoría de los seres de tu astro ignoran, y por eso te hemos traído. Ahora te voy a enseñar cómo despojarte del yelmo de tu ropaje protector, pues en esta estancia hemos reproducido, exactamente, las condiciones de la atmósfera y presión de tu mundo, lo que a nosotros no nos afecta mayormente. No te extrañe que ya no use la vestimenta que has visto fuera. Más adelante comprenderás todo esto, porque te vamos a enseñar muchas materias y formas de vida y de trabajo que desconocen por completo en el astro al que vosotros llamáis «Tierra».

Se levantó, y con ademán paternal me ayudó a quitarme el casco de la escafandra. En efecto, la atmósfera y la temperatura en aquel recinto no hacían pensar que estuviéramos a tan enorme distancia de nuestro planeta. Incluso noté que mis pulmones se ensanchaban y que todo mi cuerpo recibía una especie de baño balsámico y reconfortante. Iba a formular algunas preguntas, pero mi interlocutor se adelantó, respondiendo a mi pensamiento:

—Somos una raza muy antigua, que llegó al grado de evolución que hoy alcanza tu humanidad cuando tu mundo todavía no estaba habitado por seres inteligenes. Y nuestro Reino se encuentra en los confines de este sistema de astros que ustedes denominan «Sistema Solar». Tú vas a visitarlo y verás que ya en él se hallan otros hombres de tu mundo. Descansa aquí –y me mostró un artefacto parecido a una mesa baja y plana–, porque dentro de una hora del tiempo que tú conoces, emprenderás el viaje a nuestro Reino...

Sonrió levemente y salió. Al reclinarme en tan extraña cama sentí como aquella superficie se amoldaba a la perfección a mi cuerpo, adaptándose, mullida, a las diferentes posturas que yo tomaba, y, al mismo tiempo, me sentía envuelto por una tenue corriente de aire, o lo que fuera, de sutil perfume, que gradualmente me llevó a un profundo sueño.

CAPÍTULO 2

La visita a Ganímedes

Pepe había hecho una pausa para servirse una taza de café. Me ofreció otra, y después de saborear la aromática infusión, volvió a acomodarse en su butaca para reanudar el relato. Observé que ya no fumaba.

—Así es –me respondió–. Desde entonces no he vuelto a probar el tabaco. En realidad sólo es una droga estimulante del sistema nervioso. Nos entretiene, pero puede ocasionar efectos dañinos que es mejor evitar. Además, en este viaje he visto muchas cosas nuevas y he recibido corrientes vivificantes desconocidas en este mundo que reemplazan con creces todos los tónicos y sustancias químicas empleadas en la Tierra para activar nuestra energía... En el curso de esta exposición, y en lo que hablemos los días próximos, vas a conocer detalles verdaderamente maravillosos de cómo es la vida en ese reino de superhombres...

—Pero ¿son hombres como nosotros?

—Hasta cierto punto, sí. Ya te dije, no obstante, que poseen algunas características diferentes, debidas al gran adelanto evolutivo que tienen respecto a nosotros. No olvides que su civilización es un millón de años más antigua que la nuestra, y en ese largo lapso han llegado a poseer dos sentidos más que el hombre de este mundo: el sexto, que en la Tierra sólo está en embrión en algunos, muy pocos seres, es común a todos ellos a través de órganos perfectamente desarrollados. La glándula pineal en su cerebro es casi el doble que la nuestra, y en el de ellos se encuentra conectada por un filete nervioso con la pituitaria, a diferencia de la nuestra, lo cual les permite poseer la clarividencia –ese «tercer ojo» al que se refieren los orientales– como sexto sentido, común y natural. Además, en su cerebro, más grande y con mayor desarrollo que el nuestro, existe un pequeño bulbo, desconocido por nosotros, ubicado entre el bulbo raquídeo y la pituitaria. En algunos de ellos, los más adelantados, es el asiento de un séptimo sentido, o sea, el de la «Palabra Creadora» o Verbo, poder para actuar sobre la materia por el sonido, utilizando las vibraciones sonoras como fuerza transmutante y reguladora. Por eso, aquellos superhombres ya no usan el lenguaje hablado. No lo necesitan, pues su sexto sentido y su gran potencia cerebral y mental les permiten comunicarse con la lectura, o captación directa, del pensamiento y el uso de la telepatía. Su órgano de la voz únicamente lo utilizan para determinados efectos. Para producir o destruir fenómenos materiales, para influir a voluntad sobre los elementos, y para construir objetos, dirigiendo, alterando o regulando, con el concurso de otras fuerzas cósmicas, el proceso atómico y molecular de las substancias.

Su conocimiento y poder sobre la Naturaleza y el Cosmos son tan avanzados, que muchos de los fenómenos considerados entre nosotros como milagros, son hechos naturales y corrientes en su mundo. Tú recordarás haberme oído explicar, otras veces, que la materia es única: una sola en su esencia, y que todas las formas conocidas por nosotros no son más que transmutaciones, cambios, modificaciones del funcionamiento atómico y molecular y de sus sistemas, en cada cuerpo o en cada elemento. De ahí el hecho, ya comprobado en la Tierra, de la posibilidad de transformar una sustancia en otra modificando su constitución atómica. Por tanto, quien conozca las leyes que rigen las relaciones entre la energía y la materia, y posea los medios, o poder, de hacerlas funcionar a voluntad, está en condiciones de operar toda clase de fenómenos, en relación directa con los alcances de su poder y de su ciencia...

Pepe hizo otra pausa. Bebió algunos sorbos de café, y continuó:

—Todo esto y mucho más te explicaré en el curso de estos días que tenemos que estar juntos la mayor parte del tiempo. Debo preparar todos mis asuntos para no dejar nada pendiente... Lee este otro documento...

Al decir esto me alargó unos papeles extraídos del sobre lacrado. Eran su testamento. En él me donaba la totalidad de sus bienes, exceptuando los fondos que poseía en un banco, los cuales me pedía emplear en la cancelación de una serie de obligaciones.

—Todo esto lo preparé presumiendo un caso de muerte repentina. Ahora tenemos que hacer algunas pequeñas modificaciones. Yo pagaré personalmente mis deudas y atenderé todas las obligaciones que aún me quedan. Y al mismo tiempo, haremos la transferencia de esta casa, del auto y de todas mis pertenencias en muebles y enseres, a ti y a los tuyos.

—Lo encuentro absurdo, Pepe. ¿Qué razón hay para que insistas en un propósito de tal naturaleza?

—Ya te he dicho que, dentro de quince días, regresarán por mí...

—Pero... ¿qué locura es esta?

—No es locura, Yosip. Voy a dejar la Tierra voluntariamente... y no soy el primero ni el único... Ya viven allí varios hombres de los nuestros. Algunas de esas desapariciones de científicos y otros, de quienes no se supo más, tienen esa explicación: se encuentran en Ganímedes...

—¡Ganímedes! ¿Qué es eso?

—Es el nombre que nuestros astrónomos dan a ese mundo: la segunda en tamaño de las más grandes «lunas», o satélites naturales, del planeta Júpiter...

—Pero Júpiter está a una distancia enorme...

—Sí, a un promedio de setecientos sesenta millones de kilómetros de nosotros. Ganímedes es un astro de tamaño mayor que el planeta Mercurio. Más o menos de la mitad del tamaño de la Tierra, siendo su constitución física y química bastante similar a la nuestra; pero la civilización que he encontrado allí es tan diferente, hay una distancia tan grande entre ambas, que bien podríamos decir que es un verdadero paraíso.

—¡No atino a comprenderte! ¿Cómo puedes haber ido y vuelto a un astro que está a tantos millones de kilómetros, en sólo dos semanas y media, si para ir y regresar a la Luna que está como si dijéramos pegada a nosotros, tardan una semana...?

Pepe sonrió. Me miró con expresión en la que sentí mucho de paternal condescendencia, y de forma lenta, sentenciosa y grave, continuó:

—Nuestros sabios, nuestros físicos y técnicos, nuestros médicos y químicos, nuestros políticos, juristas, hombres de letras, de leyes o de religión, que hasta ayer se creían los únicos seres inteligentes en todo el Universo, y que ingenuamente pensaban que la Tierra –una simple gota de agua en el ilimitado océano de la Vida y del Cosmos– era el único mundo habitado, tendrán que convencerse, muy pronto, de que sólo son como estudiantes de primaria si los comparamos con los habitantes de Ganímedes... Ellos han llegado a construir máquinas capaces de alcanzar velocidades incomprensibles para nosotros: velocidades cercanas a la de la luz... Debes saber que el viaje, desde la base en el espacio a la que me he referido antes y su mundo, sólo duró tres días y cuatro horas...

Mi asombro no me permitió articular palabra. Pepe sirvió más café, y continuó:

—Cuando llegamos, encontré un país de rara belleza. Un mundo con marcados contrastes en su físico, pero con una vida que es expresión de la paz y la armonía, en grados imposibles de comparar a nada de lo nuestro. Durante el viaje había sido sometido a un tratamiento de adaptación que me permitiría, después, poder respirar y moverme en ese ambiente sin la escafandra. De la máquina que nos condujo a través del espacio, fui trasladado, por una especie de corredor herméticamente aislado del exterior, a un recinto bastante parecido al que había conocido en la base espacial. Allí permanecí otros tres días (según mis cálculos de tiempo, conforme a mi reloj) durante los cuales se me esterilizó de todos los gérmenes terrestres, completándose el tratamiento para mi adaptación a la atmósfera externa. Durante mi estancia en aquel lugar, recibí la visita de un grupo de hombres y mujeres de nuestro planeta. Me explicaron que habían sido transportados en diferentes épocas. Que se les estaba educando y tratando científicamente para estar en condiciones de volver a la Tierra en el próximo siglo, cuando las circunstancias actuales hayan cambiado y sea el momento de formar una nueva raza, superior, en nuestro mundo. Recordarás, Yosip, que alguna vez te dije que nuestra civilización está llegando a su fin. Que estamos viviendo las profecías de los libros sagrados de Oriente y Occidente. La humanidad terrestre ya está pasando por todo lo que, en el lenguaje simbólico y alegórico de la Biblia, se predice en el Apocalipsis de San Juan. Los «tiempos han llegado» y nuestra civilización agoniza. Tres de los caballos alegóricos y funestos de aquella profecía, han desatado su furia sobre nuestro mundo. Por eso es que se está viviendo un caos tan horrible; toda la humanidad está conmovida por la más absurda explosión de los bajos instintos, de las pasiones desbordadas, de la más cínica y desvergonzada exposición de sus vicios y de sus brutales apetitos. Nunca hasta hoy habíamos asistido a una quiebra tan completa de los más altos valores del espíritu. Las normas elevadas de moral, de belleza y de armonía se han olvidado, producen risa y escarnio... todo marcha hacia su propia destrucción, en un bestial alarde de materialismo egoísta, sádico y repugnante; en una eclosión nefasta de barbarie y de lujuria, que olvida la belleza y el amor y sólo busca la embrutecedora sensación efímera del orgasmo y de la orgía, en un ambiente invadido por las drogas, la violencia y el crimen... Y así marchan todos, como un rebaño furioso que se lanza hacia el abismo...

El cuarto jinete apocalíptico asolará la Tierra cuando estalle la tercera y última guerra mundial, y los cataclismos y calamidades de todo orden arrasen íntegramente el planeta; porque los hombres de nuestra raza no han logrado avanzar ni moral ni intelectualmente hasta un nivel en que su egoísmo, su avaricia, su odio y su lujuria les dejen paso a concepciones superiores, a realizaciones más perfectas y depuradas, a instituciones más sabias y altruistas, a una convivencia más fraterna y pacífica... Sólo han desarrollado la ciencia y la técnica por afán de lucro, de dominio, de egoísta competencia y no de útil cooperación. Y el resultado es la constante división, el enfrentamiento del hombre contra el hombre, y por tanto, la guerra...

Debes saber que en ese mundo al que fui llevado, y al que voy a regresar, ya no se conocen las guerras ni la menor forma de lucha o antagonismo entre sus habitantes. Han desarrollado instituciones que permiten la mutua y recíproca convivencia en un sistema de cooperación mundial perfecto, bajo la sabia dirección de un estado y un gobierno que abarca todo ese mundo. Hace muchos siglos, muchos miles de años, que esa raza alcanzó tal grado de adelanto, que les permitió visitar la Tierra en otras oportunidades. Todas las referencias que en los escritos más antiguos conocidos por nosotros se hace sobre visitas a este planeta de «dioses en carros de fuego» como en las mitologías de Grecia, de los papiros de Egipto, de Persia, de la India y el Tíbet; las leyendas fabulosas de los mayas, los aztecas y los incas; el «Hombre de la Máscara de Jade» hallado en una desconcertante sepultura bajo la Pirámide de Palenque, en México, el año de 1952, cuyo sarcófago de piedra, de diez mil años de antigüedad, estaba cubierto por una enorme losa con bellos altorrelieves representando a un hombre sentado a los mandos de una nave espacial... Todo eso ha sido motivado en los albores de nuestra civilización por las visitas que, de tiempo en tiempo, hacen los hombres de esa raza a nuestro mundo. No se trata de visitas de estudio ni de mera curiosidad científica. Desde hace miles, muchos miles de años, pues cuando el Egipto de los Faraones sólo era un conjunto de tribus salvajes, en Ganímedes ya existía una civilización tan sabia y tan poderosa que les permitió ser los intérpretes y ejecutores del Plan Cósmico de nuestro sistema solar. Y en cumplimiento de ese Plan vinieron a la Tierra cuando su presencia fue necesaria para ayudar a adelantar a los seres de este mundo.

El mítico y portentoso Hermes Trismegisto, piedra fundamental de toda la sabiduría egipcia de aquel entonces, y de muchas escuelas esotéricas, fue uno de ellos... Y la subida al «cielo» del profeta Elías, en «un carro de fuego», que nos narra la Biblia, no fue sino una de las tantas misiones de ese Plan Cósmico, ejecutadas por los seres de esa raza de superhombres...

Mi amigo volvió a callar. Sirvió más café y mientras lo tomaba, me miró serena pero insistentemente. Yo estaba absorto, sin saber qué decir. Experimenté una extraña sensación. Me parecía que de sus ojos partía una luz que invadía y llenaba mi cerebro. Me sentí confuso y me levanté bruscamente del asiento. Él sonrió. Dejó el pocillo y, abriendo un cajón del escritorio, me mostró un pequeño objeto de metal, parecido en tamaño y formas a una máquina fotográfica de las más pequeñas.

—He traído esto y, cuando me vaya, te lo dejaré. Es un aparato transmisor y receptor con el que se puede uno comunicar directamente con ellos. No debe usarse sin necesidad, pues no tendría ningún resultado positivo y útil hacerlo por mera curiosidad. Te enseñaré su manejo y cuando tenga que entrar en contacto, estarás presente y así no dudarás más de mis palabras.

—¿Pero de qué me servirá cuando te vayas?

—Podremos seguir comunicándonos. Será un privilegio que guardarás en el más estricto secreto, exclusivamente para tu bien y el de los tuyos. Tal vez más adelante, podáis también reuniros con nosotros...

—¿Y cuando se le acabe la fuerza?

—Su potencia es permanente, inalterable. Actúa con energía cósmica, y lo único que se requiere es que pueda recibir, por lo menos, una hora de luz solar cada semana. Me servirá para instruirte a través de la distancia que separa ambos mundos, y tú y los tuyos resolveréis vuestro porvenir... No olvides lo que te he dicho antes: los tiempos han llegado, el Apocalipsis se cumple y esta civilización será extinguida, como lo indican, en símbolos y alegorías, la Gran Pirámide de Keops en Egipto y las profecías de San Juan, y ello tendrá lugar en los últimos decenios de este siglo... La promesa de Cristo se realizará: la famosa «*Jerusalén de Oro*», símbolo de la nueva raza, que «baja desde los cielos a la Tierra» para establecer en ella Su Reino, serán hechos tangibles y reales en el próximo milenio. Pero todos los males de este mundo tienen que desaparecer. La humanidad de este planeta deberá ser regenerada, para que una nueva civilización, sobre los moldes de la de Ganímedes, pueda reemplazar a las carcomidas y podridas estructuras sobre las que descansan todas las creencias y todas las instituciones actuales. Como el Ave Fénix, esta raza y esta civilización morirán para ser purificadas, redimidas, superadas, renaciendo de sus cenizas en los albores de un mundo y una raza nuevos, cuyos primeros padres serán aquellos –hombres y mujeres– escogidos por su grado de adelanto, que son efectivamente «los de las blancas vestiduras del Reino» de que nos habla el Apocalipsis y el Juicio Final, que van a ser llevados poco a poco a Ganímedes, para regresar, debidamente preparados, cuando llegue el tiempo de repoblar la Tierra bajo la dirección, amorosa y sabia, de sus maestros de ese mundo...

—Te he oído decir que esos hombres y mujeres van a venir otra vez, en el siglo próximo... ¿Cómo van a poder vivir tantos años y llegar a ser los padres de la nueva raza a que te refieres...?

—No te extrañen mis palabras: en Ganímedes, uno de los conocimientos comunes es el de la conservación de los cuerpos. La regeneración celular, y por tanto el mantenimiento orgánico sin la esclerosis que produce la vejez, son conocidos y utilizados por todos. El secreto de los patriarcas bíblicos, que vivieron varios siglos, es común en ese mundo...

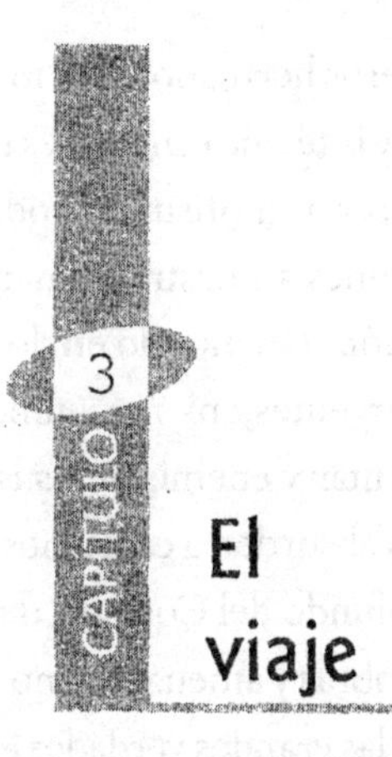

El viaje

Las pruebas que me dio Pepe en el curso de esos quince días, acabaron por convencerme. Las maravillas de que me hablaba diariamente me hicieron sentir, poco a poco, el anhelo de conocer también aquel verdadero paraíso... Pero el escollo más grande estaba en mi familia y en nuestra falta de preparación. Si yo me había convencido, no por eso me encontraba a la altura de los conocimientos y del desarrollo moral, mental y científico logrado por él. Y los míos, estaban tan distantes como yo. Hasta tal punto, que tuvimos que ocultar nuestros pasos de los primeros días y hacer creer que se preparaba para un viaje a otro lugar de la Tierra, de donde no regresaría.

Ya estaban ultimados todos sus preparativos. Mi familia, feliz por la sorpresiva herencia. Las amistades en la idea de su partida a un lamasterio de la India. Y sin embargo, yo estaba cada vez más inquieto; preocupado minuto a minuto, hora tras hora, por el extraño secreto de ese mundo al que Pepe había ido enseñándome a imaginar, a comprender y, al fin, a desear...

De sus explicaciones, de sus numerosas anécdotas vividas en los pocos días que había pasado allí, se desprendía una luz que invadió mi alma. Es un mundo en que no existe el mal en forma alguna. Una especie de colmena gigantesca en donde todos trabajan felices, con la alegría y el amor de verdaderos hermanos. Un mundo en que la sabiduría milenaria, y la ciencia y la técnica en niveles tan elevados, han logrado eliminar, desde tiempos remotísimos, todas las enfermedades, todas las pasiones comunes a nuestra humanidad, todos los elementos de discordia o división. Un mundo en donde no existen ni fronteras, ni credos divergentes, ni mezquinos intereses económicos susceptibles de enfrentar y enemistar a sus habitantes. Una religión superior, sin dogmas absurdos o caprichosos; una religión nacida del conocimiento profundo del Cosmos, de la Vida y de la Eternidad, no impuesta con palabras y amenazas sino demostrada con el conocimiento científico de las grandes verdades espirituales y cósmicas, y obediente no a seres mortales e imperfectos –muchas veces falsos e hipócritas–, sino al mandato directo de entidades superiores, gobernantes sabias y amorosas de aquel Reino al que Cristo se refiriera muchas veces cuando decía: «Mi Reino no es de este Mundo».

Un mundo guiado políticamente por un conjunto de sabios y poderosos **Maestros** preparados a través de una larga evolución para su papel de dirigentes y de padres de la población. Un país en que sus gentes –dotadas del sexto y del séptimo sentidos– jamás podrían engañarse ni ocultar su pensamiento y por tanto, en la necesidad –hecha ya facultad consciente e innata– de obrar el bien y no caer en ningún error susceptible de hacer daño... Un lugar donde a nadie le hace falta nada para ser feliz, en que todo se produce para la satisfacción de todos, a través de sistemas en que cada cual desempeña su misión con el más completo conocimiento y dentro del más depurado concepto de la mutua ayuda y de la recíproca correspondencia. Esa imagen paradisíaca de las realizaciones más avanzadas y más nobles en todos los campos de la vida... Y, al mismo tiempo, el dominio sabio y absoluto de las fuerzas naturales y de la naturaleza toda de ese mundo, para un aprovechamiento integral en beneficio colectivo de sus habitantes... ¡qué diferente es de nuestra mezquina

Tierra!, gobernada en muchos casos por tiranos ejecutores de particulares y encubiertos intereses; por avaros comerciantes, ávidos de llenar sus arcas a costa del sufrimiento, de la explotación y del engaño de otros; por falsos apóstoles ambiciosos, hipócritas y muchas veces crueles; por ignorantes infatuados por un leve barniz de infantiles conocimientos que, en alardes de orgullo y vanidad, se pavonean como los únicos definidores de la Verdad y la Vida...

Comparaba a cada instante los alcances de nuestra ciencia y de nuestra técnica, que a pesar de los progresos tan notables de este último siglo, distan tanto de lo demostrado por esas máquinas dominadoras del espacio y de todas las limitaciones de la energía y la materia conocidas por nosotros... Contemplaba el panorama de este mundo, habitado en su mayor parte por seres en la más triste condición de vida, material y moral, explotados inicuamente muchas veces para acumular riquezas en beneficio de pequeños grupos de pulpos humanos..., y poblado igualmente por una heterogénea multitud en que los bajos instintos, desbocándose continuamente, los llevan a cometer las acciones más abyectas, los más viles engaños, las traiciones más ruines, los abusos más crueles y los más abominables crímenes.

En tal estado de ánimo, vi llegar, con el ansia y la sed que tendría el perdido en un desierto, el momento en que Pepe iba a comunicarse con Ganímedes. Cinco días antes de su partida, nos encerramos en su casa por la tarde. Se sentó junto a mí. Extrajo el aparatito que me había mostrado la vez anterior; accionó una llavecita y esperamos en profundo silencio. El mecanismo comenzó a emitir un ligerísimo zumbido, y en la pantalla del transmisor, parecida a una lente fotográfica nuestra, apareció un punto luminoso que se agrandó, segundo a segundo, hasta llenar todo ese espacio. Entonces, Pepe colocó sus dedos sobre un botoncito, y vimos formarse una imagen, al principio borrosa, pero cada vez más nítida; era el panorama de una región que podía ser algún lugar de la Tierra.

La imagen se acercaba, y pude percibir vegetación, que una vez cerca, era diferente de cuanto yo conocía. Al mismo tiempo escuchaba algo así como una música suave y armoniosa, de efecto balsámico. La proyección era como si estuviésemos volando sobre aquel paraje, y vimos que nos aproximábamos a un extraño edificio semiesférico de un brillo inusitado. La visión pasó a través de los muros y nos encontramos en un recinto rodeado por numerosos tableros de control y pantallas rutilantes, con diversas imágenes en movimiento. En el centro, ante una rara mesa de metal con numerosos botones y llaves, se encontraba un hombre de cabeza algo abultada. Su rostro ocupó toda nuestra lente hasta que sólo vimos los ojos. Ojos raros, profundos y con intenso brillo. Vi que mi amigo concentraba fijamente su vista en esos ojos, y al cabo de unos segundos me habló, sin apartar la mirada del aparato:

—Me dice que te salude y que trates de concentrar tu atención en sus ojos.

Me esforcé en hacerlo. Aquellas pupilas parecían emitir ondas que iban penetrando en mi cerebro. Pensaba en ese momento si podría llegar, algún día, a conocer tan maravilloso mundo, y sentí clara, positivamente, en mi interior, como una voz que respondía:

—Déjate guiar por tu amigo. Él te enseñará lo necesario, y cuando estéis preparados, podréis venir con nosotros.

Miré a Pepe, que sonreía. Me hizo seña de que me apartara, y volvió a concentrarse en su silenciosa conversación. Pasaron algunos minutos. Pepe se hizo atrás, ligeramente, y esos ojos volvieron a clavarse en los míos: «Ten fe, y hasta pronto» –pude captar nítidamente que me decían. Mi amigo retiró la mano del aparato. Se apagó la imagen de la pantalla y entre los dos cerramos la llavecita.

—Y ¿qué me dices ahora...? –me preguntó.

Ya no necesitaba responder. Me prometió enseñarme cómo y por qué funcionaba el aparatito, recomendándome no mostrarlo a nadie, salvo a mi mujer, cuando él se hubiese ido, y me anunció que todo estaba listo para su viaje.

—Le he preguntado si la noche de mi partida puedes venir con tu familia y me autoriza a hacerlo, para que crean y puedas ayudarlos en la difícil tarea de conseguir que te acompañen, cuando llegue el momento propicio de alejarlos de este mundo. Lo he pedido con insistencia, porque el amor que les tengo me impulsa a salvarlos de los terribles tiempos que se avecinan. Vuestras almas han llegado a niveles de moral que permiten adaptaros a ese cambio de mundo. Pero necesitáis la preparación científica y los conocimientos técnicos indispensables a tan formidable salto. Eso lo vamos a hacer, si vosotros colaboráis. En tal caso, nuestra separación será por corto tiempo. Pero no debes olvidar que ese aparatito que te dejaré, sólo lo usarás tú y nadie más que tú... De lo contrario, se romperá toda nuestra comunicación.

Cuando hayáis aprendido lo suficiente para tener una base elemental de conocimientos, especialmente metafísicos, que os permita lograr una marcada transformación de vuestra constitución molecular, a fin de alcanzar una elevación de vuestras frecuencias vibratorias en todo el organismo, podremos llevaros, y gozaréis de ese reino bendito, en el que seréis educados y tratados adecuadamente para estar en condiciones de repoblar la Tierra, como otros muchos, en los comienzos de la Nueva Era...

La noche de su partida, Pepe nos invitó a comer en su casa. No me había atrevido a revelarle nada a mi mujer ni a mis hijos. Preferí esperar que los hechos consumados me evitaran la lucha y discusiones por convencerlos de que no estaba loco. Solamente les dijimos que esa noche viajaría, y ellos pensaron que sería en avión.

La comida transcurrió animadamente y tuvimos buen cuidado de deslizar en los cócteles de mi esposa y mis hijos sendas dosis de calmantes para los nervios.

Los muchachos preguntaban insistentemente por el país adonde iba Pepe, a qué hora salían para el aeropuerto, y toda esa serie de preguntas comunes en caso de un viaje normal.

—Ya falta poco; esperad, que todavía tenemos tiempo...

—¿Está muy lejos ese país?

—Sí, muy lejos...

—Y ¿es muy bonito?

—¡Bellísimo! Todo lo que os pudiera decir sería poco en comparación con la realidad.

—Y ¿podremos ir a visitarte?

—Así lo espero. Todo lo que tenéis que hacer es portaros bien. Obedecer y querer mucho a vuestros padres, y aprender todo lo que vuestro padre os va a enseñar a partir de hoy...

El tiempo se deslizaba lentamente. La conversación giraba en torno al supuesto viaje a la India. Pepe y yo intercambiábamos miradas de inteligencia, y según se acercaba la hora convenida, mi nerviosismo aumentaba, pese a que había tomado a hurtadillas mi buena dosis de calmante.

Eran las dos de la madrugada cuando, por las ventanas del comedor, vimos que el jardín se iluminaba con un potente haz de luz que bajaba desde lo alto. Todos, menos mi amigo, nos abalanzamos hacia las ventanas.

—¡Qué luz es esa! –exclamaron ellos a coro.

Yo miré a Pepe, quien, impasible, permanecía en su asiento.

—Tened calma y no os asustéis –dijo, marcando las palabras, en las que no obstante, se apreciaba su profunda emoción–. Ya vienen por mí...

—¡Cómo!... ¿De esa forma? –exclamó asombrada mi mujer.

—Sí; no temáis nada ni os asustéis con lo que vais a ver... Son amigos, y ha llegado la hora de mi partida...

En aquel instante un grito salió de la boca de quienes desconocían el secreto: una máquina enorme, en forma de gigantesca lenteja, descendía suavemente sobre el jardín, proyectando un poderoso haz de luz celeste desde su centro.

—¡Un «platillo»! –gritaron los muchachos.

Mi esposa se había abrazado a mí, temblando.

—No te asustes –le dije, tratando de calmarla–: Yo también lo sabía..., pero no podía decírtelo.

El ovni acababa de posarse en el suelo. Todos contemplaban la escena con la boca abierta y temblorosos. El mayordomo nos miraba de hito en hito. Pepe, con toda serenidad, se levantó y lentamente nos llevó hacia la puerta.

—Ha llegado el momento –dijo con voz que la emoción, mal reprimida, hacía trémula–. Repito que no debéis temer nada; son amigos, y fue con ellos con quienes hice el viaje anterior. No habíamos podido explicaros nada, pues no lo hubiérais creído y nos exponíamos al ridículo o algo peor... Yosip ya lo sabe todo y él os narrará todo cuanto ha sucedido en realidad. Tenía que disfrazar la realidad de este hecho prodigioso, porque estamos en un mundo atrasado en donde aún priman la ignorancia y la incredulidad, como frutos del desconocimiento de muchas grandes verdades del Cosmos... Mi viaje no es a la India, como hemos tenido que inventar, ya que no habríais aceptado jamás el que pudiese, en realidad, encaminarme a otro astro, muy distante del nuestro. Con lo que estáis viendo, ahora lo creeréis...

Querido hermano: no dejes de comunicarte conmigo. Ya sabes cómo hacerlo. Instruye a estos seres que tanto amamos los dos, sobre todas las enseñanzas que te iré dando a través de la enorme distancia que separa nuestros mundos. Sólo así, aprovechando con firmeza y aplicación todas esas lecciones, un día no lejano, podréis imitarme y llegar a conocer ese mundo maravilloso al que hoy me dirijo... Ya tienes todas las instrucciones que he podido proporcionarte en estos quince días. Lo demás sólo podré dártelo si te comunicas permanentemente conmigo... Y ahora, mis queridos hermanos

–su voz temblaba y dos lágrimas corrieron por sus mejillas– ¡hermanos de mi alma!... Que Dios os proteja, y que permita que podamos unirnos nuevamente en ese mundo de Paz, de Luz y de Amor al que hoy me llevan por mi propia voluntad...!

Nos besó a todos en la frente y con paso firme se encaminó al jardín. En la pared metálica de la máquina se había abierto una especie de puerta oval, y dos figuras humanas vestidas de escafandra como las de nuestros astronautas, lo esperaban en lo alto de una escalerilla mecánica. Subió lentamente los peldaños y se volvió hacia nosotros, que nos habíamos detenido en la puerta del jardín.

— ¡Hasta pronto, queridos míos!... –le escuchamos exclamar en voz alta, mientras hacía ademán de bendecirnos; y luego desapareció en el interior del «platillo», seguido por los otros dos.

La escotilla se cerró, y un minuto después –que nos pareció un siglo– aquella extraña nave espacial, arrojando chorros de fuego por todos sus contornos, empezó a subir... Muy lentamente, al principio, hasta alcanzar una altura bastante considerable, y luego, haciendo un rápido giro, se remontó vertiginosamente, hasta que la perdimos de vista en la oscuridad del cielo...

Segunda Parte

LO QUE ME CONTÓ MI AMIGO

No soy un científico especializado en los temas que se abordan en estas páginas. No pretendo dármelas de astrónomo, de físico ni de profeta. Me limito solamente a transcribir los apuntes que tomé en mis largas conversaciones con Pepe, en aquellos días inolvidables que precedieron a su extraordinaria partida de este mundo.
No deseo publicidad personal ni convertirme en «vedette» de la prensa. . . Todo lo contrario: anhelo hallar la paz y el silencio que requieren las instrucciones recibidas de mi amigo, para mi rápido desenvolvimiento individual y el de los míos. . .
Pero debo cumplir mi promesa. Anunciar lo que se acerca y procurar que la Luz se haga en la mente de quienes estén ya preparados para recibirla, en estos momentos tan críticos para toda nuestra humanidad...

YOSIP IBRAHIM

CAPÍTULO 4

Quiénes son los hombres de Ganímedes

Hace muchos siglos, muchos miles de años, en nuestro sistema solar existía otro planeta que giraba en torno al Sol entre las órbitas que siguen Marte y Júpiter. Hoy en día, ese espacio está ocupado por el Cinturón de Asteroides, como se conoce entre los astrónomos a la amplia estela de meteoros y meteoritos que se encuentra en aquella zona, girando constantemente en la misma órbita.

Nuestros hombres de ciencia conocen bien su existencia, y saben que está formada por cuerpos siderales de todo tamaño, desde simple polvo cósmico hasta masas como la del asteroide Ceres, cuyo diámetro alcanza los 780 kilómetros. Si tenemos en cuenta que el susodicho «cinturón» llega a extenderse, en la múltiple suma de las órbitas de todos sus incontables planetoides, hasta la respetable cifra de cerca de 250 millones de kilómetros de ancho, podemos imaginarnos la magnitud de cuerpos, o masas dispersas, que lo forman. Los astrónomos ya suponen que puedan ser los restos de aquel planeta desaparecido..., y aquí comienza verdaderamente el relato que me hizo de tan maravillosa historia.

Hace miles, muchos miles de años –repito– aquel planeta, al que llamaremos «Planeta Amarillo» por la clase de luz que despedía, era el hogar de una raza muy antigua, que en su larga evolución había alcanzado niveles de cultura semejantes, o quizá superiores a los que estamos llegando los hombres en la Tierra. En esos remotos tiempos, nuestro planeta aún no era habitado por seres humanos. En cambio, los hombres del Planeta Amarillo volaban, ya por el espacio...; su ciencia y su técnica les permitía, entonces, iniciar las primeras expediciones a los otros mundos de nuestro sistema solar, y de esa forma, a través de muchos siglos, fueron conociendo la existencia y las características propias de todos y cada uno de los diferentes planetas.

Lo que hoy se proponen los hombres de la Tierra, lo habían logrado ellos cuando en la Tierra no había hombres... En tales condiciones de adelanto llegaron a visitar otros astros, como hoy lo estamos haciendo con la Luna. Y su sabiduría les permitió descubrir a tiempo los síntomas precursores de la destrucción de su mundo. Cuando el terrible cataclismo cósmico redujo ese planeta a los restos que hoy forman el «Cinturón de Asteroides» muchos de ellos ya habían logrado establecerse en uno de los satélites mayores de los doce que posee Júpiter, bautizado por nuestro sabio Galileo con el nombre de Ganímedes.

Y en ese nuevo mundo, en esa nueva esfera, adaptada poco a poco, siguió progresando y desarrollándose la vida y la cultura de aquella civilización de superhombres. Pero no todos volaron a Ganímedes. Parece que algunos, quizás los más reacios a dejar su mundo o tal vez los postreros fugitivos del desastre, llegaron hasta la Tierra... Ya, por entonces comenzaba a florecer la humanidad en estos lares. Los hombres bajados del cielo fueron recibidos como dioses por las primitivas tribus de esas épocas, y su presencia explica el misterio de tantos seres mitológicos en la multitud de leyendas aborígenes en los más remotos pueblos de este mundo.

Pero no solamente hay leyendas al respecto. Recientes descubrimientos arqueológicos vienen a respaldar este aserto. Uno de los más asombrosos es, sin duda alguna, el realizado en México por el arqueólogo Alberto Ruiz Luillier, el año de 1952, en la Pirámide de Palenque, en el estado de Chiapas, que ha merecido ser divulgado ampliamente en todo el mundo, por la prensa, la radio y la televisión, conmoviendo profundamente a todos los círculos científicos especializados. Es el caso que muchos han denominado «enigma del Hombre de la Máscara de Jade».

En la mencionada Pirámide de Palenque, fue descubierto el sarcófago con los restos momificados de un ser a quien los mayas habían adorado como el dios Kukulkan. Estaba rodeado por todos los atributos de la divinidad en el culto milenario de esa raza, llevando el rostro cubierto por una fina máscara de jade y oro. Pero lo más notable del hallazgo lo constituye la piedra sepulcral que tapaba esa tumba: es una losa monolítica de 3,80 metros de largo por 2,20 metros de ancho, con un espesor medio de 25 centímetros y un peso de seis toneladas, en la que se encuentra esculpida nítidamente la figura de un hombre sentado en el interior de una máquina que guarda extraordinario parecido con las cápsulas espaciales empleadas actualmente, por nuestros cosmonautas. La escultura maya muestra a ese hombre en actitud de manejar dicho artefacto; tiene ambas manos en las palancas de mando, claramente representadas, y el pie derecho pisando un pedal. Lleva la cabeza con un extraño casco y un vástago del mismo, a manera de tubo o manguera, está aplicado a la nariz. El diseño de todo el conjunto prueba la evidente intención de reproducir los complicados mecanismos de una nave espacial, con sorprendente similitud a las que hoy usamos en la Tierra, pues se ha cuidado hasta el detalle de la expulsión de gases, o fuego, por la parte posterior del artefacto.

Por todo el mundo han circulado las fotografías y dibujos de tan extraordinario descubrimiento. Está de más decir que tanto la momia, como el sarcófago y los objetos encontrados en la tumba, fueron sometidos a todas las pruebas con que nuestra ciencia actual puede determinar la autenticidad y antigüedad de los mismos, y los resultados de esas pruebas, incluso las del carbono 14, rindieron un veredicto irrefutable y desconcertante: el Hombre de la Máscara de Jade y la piedra esculpida con tan extrañas figuras datan de hace 10.000 años...!

Además, de las investigaciones realizadas se desprendía también que el personaje enterrado bajo aquella enigmática losa no era de raza maya. Su morfología y la estatura de la momia eran notablemente distintas a las de los mayas. El «Dios Kukulkan» –como lo denominaban– medía 1,72 aproximadamente, y tenía caracteres raciales marcadamente distintos a los de los antiguos pobladores de lo que, después, fue México y América Central.

Pero no es el de la Pirámide de Palenque el único caso que nos prueba la visita a la Tierra, desde hace milenios, de seres de una raza y con una civilización muy superiores. Durante siglos, nuestra humanidad se creyó la única habitante del Universo. Las distancias y los primitivos medios de comunicación en tiempos remotos de nuestro planeta, favorecieron la ignorancia de muchos núcleos, y el lento desarrollo de los pueblos, hasta hoy día, ha sido la base de conceptos erróneos y del olvido, para millones de seres humanos, de la existencia de otros hombres y de otras civilizaciones en diferentes mundos repartidos en el Cosmos.

Sin embargo, en distintas épocas y en varios lugares han quedado las huellas irrefutables de esas visitas de seres y máquinas extraterrestres. Los arqueólogos y los eruditos en la materia poseen ya un copioso archivo de datos al respecto. Muchos se han rendido a la evidencia de pruebas irrefutables como la del Hombre de la Máscara de Jade. Otros, aún dudan... Pero ¿cómo podrán explicar hechos y conocimientos de pueblos remotos cuyas pruebas se han mantenido a través del tiempo?

Otro de los casos maravillosos en los albores de la civilización terrena, es el de la famosa pirámide de Keops, en el antiguo Egipto.

Ha sido estudiada por legiones de sabios en el curso de varios siglos, y el resultado de todos esos estudios llega a la conclusión de que tuvo que ser dirigida, en su construcción, por hombres que poseían una ciencia que, en materia de matemáticas, astronomía y metafísica, en ingeniería y arquitectura, igualan o superan todavía a las actuales. Los cálculos astronómicos evidenciados en la pirámide egipcia demuestran que, hace seis mil años, en Egipto hubo sabios conocedores de los secretos de nuestro sistema solar, de las constelaciones que nos rodean, de las estrechas relaciones entre los demás astros y la Tierra, de las fuerzas naturales y de las leyes cósmicas hasta el grado de permitirles predecir el futuro de nuestra humanidad y de su civilización en todo un ciclo de seis mil años, ¡sin equivocarse...!

Los viejos papiros egipcios contienen abundantes alusiones al respecto, y un papiro de la época del faraón Tutmes III, escrito mil quinientos años antes del nacimiento de Cristo, relata los detalles de la visita de un «platillo volante» y describe al aparato en los pintorescos términos que el asombrado autor pudo expresar.

Las mitologías de Asiria, Babilonia, Persia, la India y el Tíbet, además de los mayas y de los egipcios, abundan en referencias de este tipo. Todas ellas coinciden en mencionar las visitas de «dioses que bajan de las estrellas, en carros o naves de fuego, que instruyen a los humanos y luego regresan al cielo, rodeados por grandes resplandores». Los antiquísimos libros de la India, Samarangana Sutradara, el Mahabarata y el Ramayana, escritos hace miles de años, contienen precisas descripciones de viajes realizados por «platillos volantes», denominados en sánscrito «Vimanas», conduciendo a dioses que bajaron a la Tierra.

Y en las legendarias tradiciones del pueblo chino, también encontramos la explicación de su origen atribuido a la venida de seres divinos, bajados del cielo para enseñar a los hombres. Recordemos que los antiguos emperadores de China fueron llamados siempre: «Hijos del Cielo...» Y ¿qué explicación tendrían las pinturas encontradas por el explorador Henri Lothe en las cavernas de Tassili, en pleno desierto del Sáhara? Este descubrimiento tuvo lugar el año 1956 y aquellas figuras, que representan a seres muy parecidos a nuestros astronautas, tienen igualmente una antigüedad de más de diez mil años...

CAPÍTULO 5

Cómo son las máquinas que llaman OVNIS

En esos quince días en que permanecí todo el tiempo con Pepe, preparando su partida definitiva de la Tierra, me narró muchas cosas que, a veces, no podía escribir, pues conversábamos constantemente, a todas horas. Muchas de sus explicaciones tuve que retenerlas en la memoria, por haber sido detalles que me daba en público, en el diario transitar en demanda de los trámites necesarios para su partida.

Esto aclara que, en algunos pasajes de esta obra, tal vez puedan deslizarse errores de concepto o de interpretación, debidos a mi desconocimiento técnico o científico relativos a ciertos temas tratados con mayor autoridad por él, pero que sólo pude retener mediante rápidos y no siempre detallados apuntes. Hago esta salvedad porque deseo que mi versión logre ser sincera, aun cuando en ciertos aspectos de orden científico, no llegue a interpretar correctamente, en todas sus partes, las sorprendentes explicaciones de mi amigo.

Ya he manifestado en la primera parte, la impresión que yo tuve al contemplar junto con los míos, la enorme máquina que descendió en el jardín de su casa la noche en que Pepe abandonó para siempre este planeta...

Era como una gigantesca lenteja metálica, de más o menos quince a veinte metros de altura, con una cúpula central que podía medir hasta tres metros de altura, contando desde la base del aparato. En todo el contorno exterior, o filo de aquella «lenteja» que rodeaba la cúpula, se veía una hilera de huecos pequeños, como tubos de escape. A ambos lados de la mencionada cúpula pude apreciar ventanas angostas y alargadas, algo así como los parabrisas de automóvil, sin lograr ver el interior por la distancia a que nos encontrábamos esa noche, pues ya expliqué cómo fue nuestra despedida: mi familia y yo, profundamente impresionados, permanecimos en la puerta de la casa que da al jardín, sin acercarnos al «platillo», cuando Pepe, después de abrazarnos, penetró en la máquina. Para hacerlo, subió por una escalerilla de metal que había descendido de la base de una puerta, o mampara, que se abrió en la cúpula, frente a nosotros, en el centro de los dos ventanales ya descritos, abertura en que lo esperaban dos personas de estatura como la nuestra, que vestían escafandras, a mi entender, iguales o parecidas a las de nuestros astronautas.

Cuando el ovni se elevó brotaron chorros de fuego de los huecos circundantes en toda la circunferencia exterior de la «lenteja», y me pareció que el metal de la estructura del platón –no así la cúpula–, cambiaba de color con una brillante iridiscencia. También me llamó la atención que toda la maniobra se efectuara sin mayor estruendo, pues sólo oímos un leve zumbido, que se perdió rápidamente a medida que la nave se alejaba en el espacio.

Hasta aquí, lo que yo vi. Pepe me había explicado cómo fueron los dos viajes –de ida y vuelta– a Ganímedes, y su paso las dos veces por la base espacial a que me he referido en la primera parte de este libro. Me dijo entonces que había viajado en dos modelos de astronave diferentes en tamaño y potencia, aunque similares en sus características esenciales: que de la Tierra a la base espacial y viceversa, emplearon un tipo más pequeño, con capacidad para seis personas;

pero que de la base hasta Ganímedes habían empleado máquinas mucho más grandes y poderosas, en las que cómodamente podrían viajar más de veinte tripulantes. Las características principales de esas naves se diferenciaban enormemente de las que estamos empleando en la Tierra, tanto en estructuras como en energía, maniobras y velocidades.

Los dos modelos descritos por mi amigo estaban formados estructuralmente por dos cuerpos concéntricos: la cabina de mandos y la sala de máquinas. La cabina de mandos ubicada en la cúpula central, era algo así como el cerebro electrónico de todo el conjunto, desde el que los tripulantes podían controlar y dirigir el funcionamiento de los complicados mecanismos productores de energía e impulsores de la nave espacial, repartidos, a su vez, en todo el espacio interior del otro cuerpo, o sala de máquinas, llenando la circunferencia de forma lenticular que rodea al cuerpo central.

Los hombres de Ganímedes han llegado a producir y controlar, de manera absoluta, la energía atómica y la termonuclear. Poseen también el secreto de neutralizar a voluntad los efectos dañinos de las radiaciones y su conversión automática en nuevas formas de energía que, unidas al aprovechamiento de energía proveniente de los rayos solares, de los rayos cósmicos y de las vibraciones lumínicas y sonoras, cuyo dominio llega en ellos a lo que en la Tierra nos parecería milagroso; es así como sus máquinas del espacio han podido alcanzar metas que aún nos falta mucho por lograr.

En primer lugar, cuentan con materiales completamente desconocidos en la Tierra. Han desarrollado aleaciones de metales que resisten a todas las fuerzas de la naturaleza, por poderosas que éstas sean y por adversas que sean las circunstancias en que actúen. Asimismo, tienen productos moldeables o plásticos de propiedades tan maravillosas que nuestros químicos y físicos actuales se resistirían a aceptar. Esto fue descubierto por Pepe al comprobar las asombrosas velocidades que esas máquinas pueden alcanzar. Ya se ha hablado en la primera parte del desconcertante asombro con que vio alejarse nuestro mundo en cuestión de minutos y cómo, al calcular la posible velocidad con referencia al vertiginoso alejamiento de nuestro planeta, estuvo a punto de sufrir un síncope al darse cuenta de los resultados de su cálculo. El trayecto desde la Tierra hasta la base construida por ellos en el espacio, que –según le informaron– dista poco más de diez millones de kilómetros de nosotros, tardó sólo ¡una hora y minutos...!

Un simple cálculo basta para llegar a una cifra que, en la actualidad, nos produce escalofrío: ¡3.000 km por segundo! ¡Sólo cien veces menos que la velocidad de la luz! Cuando tratamos de esto, Pepe me manifestó que su primera reacción había sido de incredulidad. Pero sus acompañantes en el ovni, leyendo su pensamiento, le dijeron que esperara a llegar a Ganímedes, con lo cual comprobaría aquello y mucho más.

No necesito repetir lo expuesto en la primera parte acerca de la segunda etapa del viaje. La distancia de 760 millones de kilómetros que nos separa de Ganímedes fue cubierta, entre las dos etapas, en un total de ¡tres días y cuatro horas, aproximadamente...! Esto corroboró, de nuevo, los primeros cálculos efectuados y el promedio de vuelo a una velocidad media de diez millones, ochenta mil kilómetros por hora... !

Todo ello resulta increíble, y así lo manifesté en aquel entonces. Porque, además de los problemas directamente relacionados con la fuerza impulsora necesaria para alcanzar una supuesta velocidad de ese tipo, había que tener en cuenta los diferentes problemas derivados de la resistencia de materiales, gravitación, inercia, problemas de orden térmico, biológico y funcional sobre los organismos vivientes. Todo ese cúmulo de barreras que nuestra ciencia y nuestra técnica calculan hoy ante posibilidades de tal envergadura. Pero, a todas mis objeciones, Pepe se limitó a decir: «Si hace únicamente dos siglos a nuestros antepasados les hubiéramos hablado de la televisión, de los viajes a la luna, del control remoto de máquinas en el espacio y de los adelantos de la electrónica y de la energía nuclear, nos habrían tomado por locos...»

Y después me explicó lo que había podido conocer sobre esas naves espaciales prodigiosas. Me advirtió, sin embargo, que sus tripulantes no quisieron proporcionarle detalles minuciosos acerca de los mecanismos ni de ciertas particularidades sobre propulsión, fuentes de energía, aplicación de fuerzas y conversión o neutralización de las mismas, y que lo obtenido era sólo fruto de sus observaciones personales, a la luz de lo aprendido por él en la Tierra y de la comparación de sus conocimientos con los nuevos fenómenos comprobados en el viaje.

Ya se ha dicho que las estructuras y todas las piezas de que están formadas esas máquinas, son de materiales completamente desconocidos en la Tierra. Por tanto, sus resistencias y reacciones a las fuerzas y leyes de la naturaleza por nosotros conocidas son diferentes. Parece que su fuerza impulsora es el resultado de un complejo sistema en el que intervienen: energía termonuclear totalmente dominada y controlada, el desarrollo de poderosos campos magnéticos y el auxilio y aprovechamiento simultáneo de nuevas fuentes de energía cósmica y lumínica hasta ahora desconocidas por nosotros. Si un rayo de luz viaja en el espacio a 300.000 km por segundo, y si las microscópicas partículas que forman los rayos lumínicos pueden ser susceptibles de concentrarse y de dirigirse como, por ejemplo en los láser, ¿quién se atrevería a negar que, dentro de condiciones especiales, a través de mecanismos todavía no imaginados por nuestra humanidad, y en el amplio campo de las ondas electromagnéticas y de los rayos cósmicos, otra humanidad haya logrado encadenar la fuerza de esas partículas, obligándolas a proporcionar una parte de su energía cinética en provecho de todo el conjunto...?

De las observaciones efectuadas, pudo deducir que los dos cuerpos concéntricos a que se ha hecho mención: la cúpula central o cabina de mandos, y la plataforma circular externa o sala de máquinas, pese a estar firmemente unidos, quedaban aislados automáticamente por la inserción de materiales que, sin disminuir la solidez del conjunto, garantizaba la independencia y seguridad de la cabina interior, neutralizando fuerzas y posibles radiaciones. Aunque los tripulantes pudieran cometer algún error o descuido fortuito, el sistema de control electrónico del aparato los ponía constantemente a salvo de los riesgos propios de tan extraordinarios viajes. Tal sistema abarcaba la solución total de los problemas que para nuestros físicos presentan los viajes espaciales y muchos otros, aún desconocidos en la Tierra.

Uno de los más serios obstáculos que tienen que vencer nuestros coterráneos es el conjunto de fenómenos derivados de la ley de gravedad. Los astronautas de Ganímedes se ríen de esto: ellos han resuelto desde hace mucho tiempo todos los problemas relacionados con lo que nosotros llamamos «gravedad», según la definición de Newton. Sus máquinas pueden neutralizar, a voluntad, toda forma de atracción de masas, liberándose así, cuando conviene, de la influencia en tal sentido de cualquier cuerpo celeste o astro. Esto les permite las maniobras que han desconcertado a muchos técnicos que, alguna vez, llegaron a ver un ovni. Explica el porqué pueden elevarse con toda suavidad y lentitud y alejarse del suelo a cualquier velocidad. Sabemos que nuestras naves espaciales deben iniciar su vuelo a una determinada velocidad, según su tamaño y peso, para lograr la fuerza de «arranque» o sea la velocidad inicial que, contrarrestando a la fuerza de gravedad, permita a la máquina alejarse de la Tierra, sin la cual no podría continuar su trayectoria y caería de nuevo al suelo.

En cambio, los ovnis suben y bajan con toda suavidad, pueden detenerse en el espacio a cualquier altura y permanecer inmóviles todo el tiempo que sus tripulantes deseen, y realizar toda clase de virajes en ángulos inverosímiles para nuestros aviadores, sin que la máquina o sus ocupantes sufran en lo más mínimo. Poderosos campos magnéticos y la combinación de fuerzas a que ya se ha aludido más arriba, logran esto, aparte de la calidad especial de los materiales mencionados. En cuanto al organismo y funciones biológicas de sus tripulantes, sucede lo mismo: en los momentos críticos de ciertas maniobras, como ascensos y descensos, o en los cambios bruscos de velocidad o virajes violentos, toda la estructura y muy especialmente la cabina central son rodeadas por una fuerza cuya magnitud está en relación directa con las fuerzas naturales que ha de vencer, manteniendo así a la nave dentro de lo que podíamos llamar un «campo gravitacional propio». De esta forma quedan anuladas todas las reacciones por gravedad o inercia y han vencido todos los efectos desagradables y peligrosos derivados de los cambios de presión, desgravación o pérdida de peso en el espacio exterior, y los consiguientes efectos fisiológicos y psíquicos para sus ocupantes.

Otro problema que hasta ahora resulta un obstáculo insalvable para nuestros sabios: el recalentamiento por la fricción de los cuerpos, que puede tener resultados terroríficos al atravesar las zonas de atmósfera, de la Tierra o de otros astros, ha sido también resuelto por ellos. Un sistema automático protector absorbe la energía térmica a medida que ésta se va generando en toda la cubierta exterior de la astronave, transformándola en refrigeración controlada y en fuerza propulsora; de tal suerte la capacidad del vuelo permite alcanzar velocidades muy superiores, dentro de la atmósfera, a todo lo calculado por nuestros científicos, aun cuando, en verdad, dentro de esas zonas no se llegue nunca a los límites asombrosos que más arriba se han indicado. Recordemos que en la primera parte, nuestro amigo explicó cómo había notado un apreciable cambio de velocidad entre el tiempo que permanecieron en la atmósfera terrestre y cuando alcanzaron el espacio interestelar.

Otra de las características especiales observadas por él fue la referente al sistema de detección a distancia. Nosotros hemos desarrollado el radar. Lo que ellos poseen al respecto reúne en perfecta combinación las condiciones de servicio del radar, la televisión y la telemetría telescópica. Una experiencia interesante fue presenciada por Pepe cuando atravesaban la zona conocida como Cinturón de Asteroides, ya mencionada anteriormente. En la respectiva pantalla de la cabina de mandos apareció de pronto la imagen de un meteorito que se aproximaba velozmente en la misma trayectoria seguida por la nave. Por las ventanas del aparato no se distinguía nada. Los tripulantes le llamaron la atención y le dijeron telepáticamente que iban a eliminar ese obstáculo. Nuestro amigo seguía sin ver nada a través del ventanal. En la pantalla de control el asteroide continuaba acercándose y era visible en todos sus detalles. Uno de los astronautas reguló una llavecita y oprimió un botón. En la pantalla se vio estallar, en formidable explosión, al meteoro y, al mismo tiempo, nuestro amigo pudo ver por las ventanas, en la misma dirección en que viajaban pero a una distancia enorme, un destello fugaz que desapareció... Al mirar de nuevo inquisitivamente a sus acompañantes, la respuesta fue: «Rayos cósmicos... y de luz...»

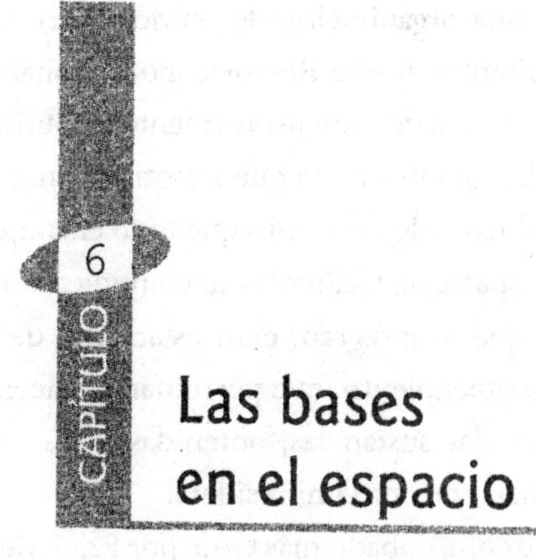

Las bases en el espacio

Se ha dicho en la primera parte que en ambos viajes –a la ida y a la vuelta de Ganímedes– habían hecho escala en una base espacial. La primitiva posición de esa base, a juzgar por los datos obtenidos por mi amigo, se encontraba a poco más de diez millones de kilómetros de la Tierra; pero en la segunda visita, los cálculos por él efectuados, a partir del tiempo empleado en el regreso, arrojaban casi el doble de aquella distancia. Esto, y las observaciones más cuidadosas que pudo efectuar en esa nueva oportunidad, lo convencieron de que la mencionada base no mantenía una posición fija, sino que variaba de lugar.

Ampliando sus observaciones con los datos que pudo obtener de los mismos tripulantes de las astronaves, había llegado a la conclusión de que aquel artefacto espacial no sólo cambiaba de posición, sino que para ello poseía los medios necesarios, la fuerza y las fuentes de energía suficientes para mantenerse en el espacio indefinidamente, cambiando de lugar a voluntad de sus ocupantes, dentro de un plan establecido y coordinado con el funcionamiento de otras bases similares, repartidas en diferentes puntos de nuestro sistema planetario. No se le dijo cuántas eran esas bases; pero no le negaron su existencia. Aún más, le informaron de que obedecían a un sistema y que integraban una organización de servicio permanentes, que permitía a los habitantes de «Su Reino» conocer y mantener información constante acerca del desenvolvimiento evolutivo de toda la familia de astros integrantes de lo que nosotros llamamos nuestro sistema solar. También se le manifestó que todo el conjunto formado por esas bases, aparte de facilitarles su comunicación con los diferentes mundos que lo integran, eran estaciones de control, de regulación y de abastecimiento, que permitían almacenar transitoriamente determinadas sustancias, obtenidas de la naturaleza de algunos de los planetas de esta familia sideral.

Todo esto fue comprobado más tarde por Pepe. Recordaba, en efecto, que en el viaje de ida, realizado, como se ha dicho, en una máquina mucho más grande, vio introducir buen número de bultos, algo así como cilindros de metal bruñido y parecido al acero inoxidable, en un amplio compartimento, o depósito de carga, bajo la cabina central de la nave. Se ha dicho ya que entre las bases y el mundo ocupado por ellos, se emplean tipos de astronaves mucho mayores de las usadas para lo que podíamos llamar los viajes cortos. Mi amigo vio máquinas con capacidad para conducir más de 40 o 50 personas, y además apreciable cantidad de carga en compartimentos especiales. En informaciones posteriores a su partida, me proporcionó mayores detalles al respecto.

Las bases espaciales de esa raza de superhombres tenían dimensiones suficientes para contener todo un completo equipo de maquinarias capaz de proporcionar formas de fuerza y energía requeridas por el mantenimiento, permanente, en el espacio, de un grupo de personas que pasaba en ellas determinados periodos de tiempo. Generalmente eran turnos renovables cada periodo de tiempo comparable con nuestros meses (porque las medidas de tiempo en Ganímedes son diferentes a las nuestras, como ya se explicará más adelante). Durante esos turnos las distintas tripulaciones disfrutan de todas las comodidades iguales a las que tienen en sus propios hogares, pues viven en edificios acondicionados como se explicó en la primera parte, en los que dentro de espacios, en verdad más reducidos, poseen todo el confort necesario para no hacer tediosa la misión en tales sitios.

Casi todo el trabajo allí se realiza en recintos interiores. Sólo cuando se trata de efectuar o recibir viajes, requieren de sus escafandras para actuar al exterior. Y la labor desarrollada por ellos, en su mayor parte, es de control y supervisión de los equipos y maquinarias. Todo funciona automáticamente y las fuerzas empleadas en todo el complejo conjunto de aquellos mecanismos proviene de fuentes de energía termonuclear, combinadas con otras, como hemos visto, en la que intervienen el dominio y aprovechamiento de los rayos gamma, cósmicos, fotones o corpúsculos de luz, iones, vibraciones sonoras y radiantes de varios tipos y todo un sistema mucho más avanzado que el nuestro para el aprovechamiento integral de protones, neutrones y electrones, además de nuevos corpúsculos atómicos desconocidos por nosotros...

Pepe me advirtió que muchos de estos aspectos científicos no pudo conocerlos en detalle, porque en esa primera etapa de contacto con la civilización de Ganímedes no se le dieron sino informaciones muy escuetas. Comprendía que deseaban mantener en reserva muchos de los secretos de sus conquistas y de su adelanto, hasta que él se estableciera definitivamente entre ellos; pero le habían prometido enseñarle todo, una vez que estuviese formando parte de su mundo...

Pero con lo observado en ese lapso, hay abundante material de estudio y de comparación para los sabios de nuestra Tierra.

Por ejemplo, ya se ha dicho que en lo referente a las energías de tipo atómico y termonuclear, en la fisión o fusión de los átomos, han alcanzado niveles tan superiores a los nuestros que las fuerzas emanadas de ambas fuentes son utilizadas amplia y permanentemente en todas las actividades de la vida diaria de ese mundo, y en todos los centros pertenecientes a esa raza, como en sus astronaves y bases espaciales. Han logrado dominar y controlar a voluntad cuanto se relaciona con esas fuerzas, tanto en sus aspectos positivos cuanto negativos. Los problemas de su producción, control y aprovechamiento fueron resueltos desde los tiempos remotos a que se refieren las más antiguas alusiones que la historia de nuestra humanidad conserva sobre ellos. Con el correr de los siglos perfeccionaron métodos y sistemas que les permitieron encadenar bajo sus manos aquella fuente universal de energía, convirtiendo la gigantesca fuerza de las estrellas en un dócil y obediente esclavo de su civilización, como si hubieran querido imitar, en la realidad, el fantástico y simbólico cuento de «Las Mil y Una Noches» que nos habla del Genio encerrado en la lámpara de Aladino...

Ya hemos comentado que la radiactividad ha sido controlada y aprovechada por ellos en variadas formas. Poseen un material, metal, aleación, o lo que sea, que no sólo impide el paso de las radiaciones, sino que las anula por completo. Delgadas láminas de dicho material bastan para neutralizarlas, y de tal suerte están protegidos todos los núcleos productores de fuerza y cuanto artefacto, mecanismo o ambiente sea menester aislar. Además, el mencionado material es relativamente liviano y muy versátil. Abunda en todas las instalaciones e incluso en los accesorios o utensilios de trabajo exterior, entra en la confección de los sistemas protectores, cuando éstos, de alguna forma, puedan estar expuestos a recibir la más mínima proporción radiactiva.

Si a todo esto añadimos que en los miles de años durante los cuales aprovechan estas fuerzas, llegaron a descubrir medios y métodos aún no imaginados en la Tierra, no nos extrañaría saber que también obtienen los mismos resultados y mejores en toda la línea de producción, con materia prima diferente. Ellos no necesitan ya de los primitivos sistemas a base de uranio o de plutonio. Utilizan varios elementos mucho más corrientes y tan abundantes en la corteza de la mayoría de los astros que nos rodean, que se puede decir que son inagotables y baratísimos. Tal vez los cargamentos como los que Pepe vio trasladar en la astronave que lo condujo a Ganímedes, tengan algo que ver con esto... Y si tenemos en cuenta igualmente que han llegado a dominar todas las limitaciones térmicas, y a reducir al mínimo los espacios requeridos para la producción y transformación de esos tipos de energía, podremos comprender mejor los prodigiosos coeficientes alcanzados por sus naves interplanetarias y sus bases espaciales. Recordemos, en pequeño, el gran adelanto que entre nosotros ha representado, en electrónica, el descubrimiento y utilización de los transistores, en sustitución de los anticuados y lentos tubos de vacío.

Otro de los detalles que llamó poderosamente la atención de Pepe en la base, en los vehículos y, después, en la ciudad que conoció, fue el del sistema de iluminación. Ya dijimos en la primera parte cómo se sorprendió al no descubrir en lugar alguno, interior o exterior, nada que pudiese parecerse a determinada forma de alumbrado, como nosotros lo entendemos o utilizamos. En el viaje de ida, cuando se acercaba a la estación espacial, de lejos había tenido la impresión de ver una estructura metálica esferoidal brillando fuertemente en medio de la tiniebla sideral. Sin embargo, cuando llegaron, pudo comprobar que se trataba de una gigantesca plataforma de varios pisos, en la que estaban distribuidos equilibradamente los diversos compartimientos a que antes nos hemos referido. Lo que daba la sensación de esfera eran unos arcos ligeros vibrátiles, de material o sustancia que no pudo precisar, aparentemente no sólidos; pero que limitaban en todo el contorno de la base, o mejor dicho, en todo su perímetro, una zona de luz azulada, suave a la retina pero lo bastante intensa como para mantener perfectamente iluminados los más apartados rincones de tan gigantesco artefacto espacial. Y la misma luz estaba presente en todos los recintos interiores.

Cuando inquirió al respecto, la información que le dieron fue parca y condicionada a una posterior enseñanza en su futura permanencia en «el Reino». No obstante, pudo comprender lo siguiente: el espacio interplanetario no está absolutamente vacío, la **nada** no existe en el Universo. Incluso los ilimitados espacios que separan las constelaciones, las galaxias, las nebulosas; todos esos millones de millones de millones de kilómetros que median entre unas y otras aparentemente vacíos, contienen, además de polvo cósmico imperceptible y de distintos rayos invisibles que parten de los incontables mundos que los pueblan en medio de todo ese páramo solitario de distancias astronómicas, una sustancia tan sutil, tan imponderable, que no ha podido ser ni calculada por nuestros astrónomos: llamémosla «sustancia matriz universal» o «materia primigenia». Si tal «sustancia» es también susceptible de estar formada por partículas tan infinitamente microscópicas que no puedan evidenciarse por ningún instrumento, pero que, no obstante, sirvan de medio comunicante para todas las formas ondulatorias o vibrátiles de la Vida o la Energía, el fenómeno de un tipo de iluminación como el que nos ocupa, sólo se reduce a encontrar los elementos y los medios para poder ionizar con energía fotónica las susodichas partículas...

Antes de terminar esta reseña sobre la red de bases mantenidas en el espacio por esa raza de superhombres, conviene hacer referencia a otro aspecto interesante: el método de construcción y traslado de las mismas. En la Tierra se estudia ya la posibilidad de establecer estaciones o bases espaciales. Todavía no se calcula que puedan ser tan grandes como para servir de asentamiento a una tripulación permanente y numerosa, y para asegurar perfectas condiciones de servicio autoabastecido en largos periodos de tiempo, con garantía de permanencia indefinida y potencialidad suficiente para recorrer todos los espacios interplanetarios a voluntad de sus tripulantes. No creo que se hayan imaginado todavía planes de tal magnitud.

A juzgar por los ensayos y estudios actuales, esas posibles bases serían reducidas a los alcances de nuestra técnica espacial actual, y dentro de sistemas conocidos de propulsión y mantenimiento, similares a los empleados en los viajes lunares. Además, tendrían que ser construidas en el espacio, mediante el acoplamiento de estructuras parciales, conducidas por los mismos medios de que hoy nos valemos para enviar a la Luna los módulos y equipos transportados, que no pueden sobrepasar determinados límites en tamaño y peso, porque seguimos siendo frenados por los problemas ya enunciados antes.

En cambio, los de Ganímedes pueden construir tranquilamente sus gigantescas bases espaciales en los mismos talleres, o fábricas, sobre la superficie de su astro, en suelo firme, con todo el tiempo y seguridad necesarios para garantizar el acabado perfecto de todas sus partes. Más tarde, por sus propios medios de propulsión y conducidas directamente por sus propias tripulaciones, son sometidas a ensayos previos de ascenso, maniobra y descenso, antes de enviarlas definitivamente al lugar de su destino. Debemos tener en cuenta que, por lo ya explicado con respecto a materiales, potencialidad, fuerzas, propulsores y demás detalles anotados anteriormente, se encuentran en situación sumamente ventajosa para poder superar con creces la velocidad de escape de su astro que, con una masa equivalente a la mitad de la Tierra, es enormemente inferior a los 11,2 kilómetros por segundo que en nuestro mundo tenemos que vencer para poder alejarnos de la gravedad del planeta.

CAPÍTULO 7

Cómo es Ganímedes

Para comprender mejor el ambiente que rodea a esa humanidad, es necesario conocer las condiciones reinantes en la familia de astros que forman el grupo joviano, como se denomina en astronomía al conjunto planetario integrado por Júpiter y sus doce satélites. Ya se ha dicho anteriormente que ese gigantesco planeta representaba, hasta cierto punto, un sistema planetario menor, dentro de la familia de astros que integran nuestro sistema solar. Y las enormes dimensiones jupiterianas, así como la gran distancia que lo separa del Sol, dan lugar a características especiales que diferencian bastante a ese grupo de mundos, si lo comparamos con la Tierra y con los otros tres planetas interiores que conforman la serie, llamada también de «planetas terrestres», o sea los cuatro cuerpos celestes más cercanos al Sol que giran en órbitas interiores con respecto a la zona de los asteroides, y que son: Mercurio, Venus, Tierra y Marte, además de sus respectivos satélites.

Júpiter recorre su órbita en torno al Sol en un espacio de tiempo de casi doce años de los nuestros. La distancia que lo separa del astro rey de nuestro sistema solar es de 778 millones de kilómetros y su diámetro se calcula en 143.000 kilómetros, lo que hace que tan gigantesco planeta sea más de ciento veinte veces mayor que la superficie de la Tierra. Está rodeado por una espesa capa de nubes de muchos miles de kilómetros de espesor, con temperaturas medias de 110° C bajo cero, que ofrecen el aspecto de franjas paralelas, claras y oscuras, constituyendo la característica más notable del astro, entre las cuales se ha venido observando en el último siglo una extensa mancha roja de unos 40.000 kilómetros de largo que parece desplazarse en torno al planeta y cuyo origen es todavía desconocido para nosotros.

Recientes observaciones han llegado a establecer que tras esa compacta masa de nubes existe una superficie sólida que acusa altas temperaturas, hasta 330° C, lo cual hace pensar en una intensa actividad volcánica y en la imposibilidad de la existencia de un tipo de vida orgánica y biológicamente considerada como la nuestra.

Ya hemos dicho que Júpiter posee un sistema de doce satélites, de los cuales ocho no tienen mayor importancia, por ser tan pequeños que podría considerárseles como simples asteroides. Pero los otros cuatro, entre los que figura Ganímedes, y que fueran descubiertos y clasificados por Galileo desde 1610, son ya de dimensiones apreciables. El orden en que giran en torno al gigantesco planeta es: Io, el más cercano, con un diámetro de 3.735 kilómetros; Europa, con 3.150 km de diámetro; Ganímedes, con 5.150 km de diámetro; y Calisto, con 5.180 km de diámetro. Se ve, por tanto, que Ganímedes es notablemente más extenso que el planeta Mercurio.

Ganímedes se encuentra a 10.070.000 km de distancia de Júpiter, girando en una órbita circular en torno a éste equivalente a 7 días, 3 horas, 42 minutos y 32 segundos de los nuestros, por cuanto las medidas del tiempo allí difieren mucho de las nuestras por razones obvias. Además, en aquel satélite joviano, cuya rotación sobre sí mismo se efectúa en un eje perpendicular a su órbita, presentando siempre la misma cara al planeta, no existe el día y la noche como en la Tierra. Esto se debe a que recibe luz de dos fuentes: por un lado la recibe del Sol, que aun siendo en menor intensidad que nosotros por la mayor distancia, llega todavía con suficiente volumen de luz y calor, energías vitales que son acrecentadas por sus sabios habitantes como lo veremos más adelante. Y por el otro lado recibe la luz reflejada por Júpiter, como si fuera un gigantesco espejo, que desde Ganímedes se ve cual una monstruosa pelota luminosa, achatada y con franjas. De esa manera, lo que nosotros conocemos como «día» dura allí casi cuatro de los días nuestros; y lo que llamamos «noche», que en ese astro es el tiempo empleado en recorrer el cono de sombra proyectada por Júpiter, o sea la parte posterior del planeta con respecto al Sol, es el saldo del período en que realiza su revolución completa según lo indicado más arriba. Este lapso de oscuridad, de casi tres días y medio de los nuestros, transcurre dentro de un régimen de iluminación artificial de todas las zonas pobladas, como veremos según vayamos avanzando.

Por todo lo que acabamos de exponer, vemos que Ganímedes es realmente un mundo de contrastes muy marcados; hasta cierto punto, un mundo paradójico, en el cual se encuentran condiciones ambientales tan opuestas, fenómenos naturales tan antagónicos, en medio de una naturaleza tan agreste, que bien cabría decir que se trata de un mundo cuya naturaleza, violenta y explosiva, fue dominada por la inteligencia del hombre, al transformar lo negativo en positivo, lo absurdo en lógico, lo violento en dócil... Un mundo que nos demuestra cómo es posible utilizar hasta las más adversas condiciones de existencia, cuando se cuenta con la sabiduría y el poder necesarios para ello.

En la primera parte se dijo que mi amigo había encontrado «un mundo de extraña belleza». Ahora trataremos de explicar el alcance y profundidad de esa expresión. Una visión panorámica del astro, que nos permitiese abarcarlo de cerca en todos sus detalles, nos mostraría el mapa de una superficie profundamente accidentada. Una topografía bastante parecida a la que nos muestran algunas regiones montañosas de la Tierra tales como las imponentes moles de la Cordillera de los Himalayas. La superficie de Ganímedes está formada por una serie ininterrumpida de grandes cordilleras que se entrelazan en todas direcciones, elevando a considerables alturas sus majestuosos picos eternamente cubiertos por espesos mantos de nieve y hielo. Ese blanco y helado ropaje se extiende por doquier, a través de la abrupta maraña de aquel mosaico orogénico formado por la tremenda actividad volcánica del astro. Pero, en medio de ese gélido conjunto de montañas, con su extenso sistema de glaciares y ventisqueros, notamos ya la abigarrada presencia de numerosos y profundos valles en los que la policromía del paisaje va desde los diferentes matices del verde, con azules y anaranjados tonos --producto de la vegetación y de la actividad vital de sus pobladores– hasta los rutilantes destellos que las concentraciones urbanas, todas de aspecto metálico, proyectan hacia la altura, como si fueran las múltiples facetas de un formidable joyero de gigantescos diamantes.

La vida en Ganímedes se extiende a través de ese mosaico de profundos valles, enclavado entre las redes de aquel enjambre de sólidas montañas, entre muchas de cuyas nevadas cumbres se distinguen los penachos vaporosos de múltiples volcanes. Para los hombres de la Tierra, un mundo con tal proliferación volcánica resultaría catastrófico o, por lo menos, terrorífico. En cambio, para los habitantes de ese gran satélite de Júpiter es una bendición. Esa raza de superhombres ha sabido aprovechar al máximo todos los recursos naturales, y ha dominado de tal manera las fuerzas y energías encerradas en su astro, que la asombrosa cantidad de volcanes diseminada sobre toda la superficie ganimediana, representan en realidad otras tantas gigantescas centrales de fuerza, en las que se controla, se regula su funcionamiento y se utilizan de diferentes formas todos los elementos físicos y químicos que en ellas intervienen, convirtiendo así cada volcán en un centro productor de cuantiosos beneficios para la comunidad que lo trabaja y lo domina. No extrañará, por tanto, saber que buen número de ellos fueron «construidos» o «fabricados» (valga la expresión) artificialmente desde hace muchos siglos.

Una de las principales y más inmediatas ventajas que reportan a esa humanidad es el aprovechamiento permanente de agua para las poblaciones. Esto, a primera vista, parece absurdo. Sin embargo, no lo es. Debemos tener en cuenta lo ya explicado con respecto a las bajísimas temperaturas reinantes en su atmósfera. Debido a esas temperaturas no existen océanos o mares ni grandes ríos en Ganímedes. Todas las grandes extensiones de terreno, por lo general montañoso, están cubiertas por el manto de hielo a que nos referimos antes, capa helada que en muchos lugares alcanza varios kilómetros de espesor. Si no fuera por la intensa actividad volcánica manifestada en toda la superficie del astro no hubieran podido subsistir allí los seres que lo pueblan. Desde los tiempos más remotos, cuando colonizaron (permítasenos usar esta palabra) ese cuerpo celeste, en las postrimerías de la vida en su planeta de origen, su primera preocupación y las primeras labores realizadas fueron las de transformar los volcanes en centrales de fuerza y aprovechar las enormes cantidades de energía térmica en ellos encerrada, para asegurar temperaturas saludables y agua corriente en el fondo de los profundos valles a los que ya nos hemos referido. Por eso, uno de los contrastes más notables que asombran al visitante es la proliferación de tantas y tantas bocas de fuego en medio de aquel helado conjunto de altísimas montañas, volcanes que no son otra cosa que gigantescas chimeneas de las formidables fábricas creadas por esa raza de superhombres, en las entrañas rocosas de su pasmoso mundo...

Con el paso del tiempo, fueron conquistando y dominando toda la naturaleza del astro. Según la tradición narrada a mi amigo, cuando llegó el momento de abandonar en masa el «Planeta Amarillo» por la proximidad de su inminente destrucción, ya habían sido transformados muchos valles de Ganímedes en verdaderos lugares habitables. Fue obra de siglos. Pero esa raza formidable pudo conocer con gran antelación el cataclismo cósmico que se avecinaba, y trasladar a tiempo a sus habitantes, instalándose en el nuevo mundo que hoy habitan. Tenemos que recordar que tal migración tuvo lugar hace más de diez mil años. En tan largo período de tiempo, continuaron desarrollando y adaptando su nueva morada, hasta alcanzar los maravillosos resultados que ahora comprueba nuestro amigo al llegar, por vez primera, a ese lejano satélite de Júpiter.

Se ha dicho que el agua y la temperatura ambiental en esos valles, donde se concentran los poblados, provienen del trabajo efectuado por cada una de esas bocas volcánicas. Dentro de nuestro modo de pensar, según lo que conocemos en la Tierra, puede resultar algo difícil de entender. Tenemos que hacer un esfuerzo de imaginación para comprenderlo. Pero si partimos de la premisa de que los hombres de Ganímedes alcanzaron el conocimiento y el poder sobre la naturaleza desde hace más de diez mil años, no nos será imposible pensar que poseen los medios, los sistemas y los equipos necesarios para llegar a dominar hasta las fuerzas interiores de un planeta, aprovechando esas fuerzas y todos los elementos que las generan, en la diversidad de fines que se propongan conseguir. Por eso vemos, al llegar a cualquiera de sus valles, una vegetación frondosa y abundante, cultivada con los más avanzados conocimientos de una ciencia y una técnica muy superiores a las nuestras, y regada con un sistema de canales que distribuye las aguas de grandes reservas, verdaderos lagos artificiales, mantenidos por las cristalinas vertientes que bajan por las laderas de cada volcán. Estos arroyos y pequeños torrentes son el fruto del deshielo constante producido por las altas temperaturas generadas en el fondo subterráneo y en las masas ígneas de cada uno, gran parte de cuya energía térmica es aplicada a través de una red de túneles, a la parte inferior de las espesas placas de hielo que envuelven las cumbres. Es un proceso permanente de producción y recuperación del líquido elemento. Proceso que –como todo en Ganímedes– es regulado y controlado electrónicamente. Los niveles de las grandes reservas no pueden pasar de ciertos límites, y su multiplicación con respecto a la multitud de valles, asegura la amplitud de superficies de evaporación necesarias para la recuperación, lo que se mantiene dentro de límites perfectamente calculados, que aseguran el constante abastecimiento de agua pura en todo ese mundo.

Otro de los aspectos curiosos y de marcada diferencia con la Tierra, es la ausencia absoluta de fauna en Ganímedes. Allí no hay animales... Sólo existen los reinos mineral, vegetal y humano, o superhumano. Esto fue explicado a nuestro amigo atribuyéndolo a las primitivas condiciones ambientales de ese astro, que no permitieron la vida animal antes de la llegada a él de sus actuales habitantes. Y estos no consideraron necesario ni prudente llevar consigo animales, calculando las posibilidades de existencia de las primeras «colonias» en ese nuevo mundo que estaban adaptando a sus propias exigencias de vida. La flora, o reino vegetal, fue trasplantada conduciendo desde su planeta de origen todas las especies que estimaron conveniente aclimatar y propagar en la nueva morada en que habrían de establecerse. Tal proceder también influyó posteriormente en una serie de modificaciones y diferencias con la vida en la Tierra. Entre nosotros, parecería imposible nuestra existencia, sin las numerosas especies zoológicas, muchas de las cuales forman parte de nuestro diario programa de vida. Los animales constituyen para la humanidad terrestre eslabones vitales en infinidad de aspectos. Pero los hombres de Ganímedes, desde hace milenios, han sabido acomodarse para que no les hicieran falta, en forma alguna. Y en este aspecto han llegado a tales extremos, o mejor dicho adelantos, como la supresión absoluta de los microorganismos generadores de la mayor parte de nuestras enfermedades. Esta interesantísima faceta de su civilización, o sea la conservación de la salud, y también el secreto de la longevidad, lo trataremos de manera especial en el próximo capítulo.

Muchos pensarán que en un mundo con tal cantidad de volcanes la atmósfera estaría envenenada por los gases, que las continuas emanaciones deletéreas la harían irrespirable. Esto sería lógico y posible en nuestro planeta con su actual humanidad. Pero en Ganímedes es otro problema resuelto satisfactoriamente desde antaño. Se ha dicho, y se repite ahora, que el dominio de la actividad volcánica y el aprovechamiento de todas las fuerzas y de todos los elementos que en ella intervienen, son absolutos en esa civilización. Los productos gaseosos de tal actividad, que entre nosotros escapan libremente a nuestra atmósfera, son absorbidos por un amplio y poderoso sistema que, cual enmarañada red subterránea de ventilación y drenaje, va retirando a diferentes niveles en el corazón de la montaña, los productos sólidos –como lavas y cenizas– de los gaseosos; estos son tratados por medios mecánicos y químicos en grandes instalaciones, también subterráneas, en las cuales se aprovechan íntegramente todas las sustancias, sean éstas sólidas, líquidas o gaseosas. De ese modo, lo único que escapa de los cráteres es vapor de agua que, al condensarse por las bajas temperaturas reinantes en las cumbres, cae sobre éstas en forma de copos de nieve.

Y en cuanto a las materias primas que así se obtienen, son transformadas en innumerables subproductos que aprovechan después las industrias manufactureras, junto con los derivados obtenidos en la conversión de los gases, dentro del mismo proceso químico.

En cuanto a las fuerzas telúricas y sísmicas generadas por una actividad volcánica de tal magnitud, en el próximo capítulo veremos cómo han sido dominadas igualmente por aquella asombrosa raza de supersabios.

CAPÍTULO 8

Cómo es la vida en ese mundo

Al comienzo del capítulo anterior, nos referimos a una de las características más notables presentadas al examen telescópico de Ganímedes por nuestros astrónomos: desde los tiempos de Galileo, este satélite de Júpiter ha sido conocido como el más brillante de los cuatro que forman el grupo de «las grandes lunas interiores jovianas» que, como ya sabemos, llevan los nombres de Io, Europa, Ganímedes y Calisto. Este fenómeno celeste ha llamado siempre la atención de quienes lo han observado, sin llegar hasta hoy a comprender su verdadera causa, pues según los cálculos y la lógica, la magnitud y por tanto el brillo de Calisto debían ser mayores, ya que éste posee un tamaño ligeramente mayor y gira en una órbita relativamente más cercana a nosotros. Sin embargo, el brillo demostrado siempre por Ganímedes, aun con los primitivos telescopios de Galileo, fue mucho más notable.

Ahora tenemos justificación de este fenómeno. Se debe a la abundancia de centros poblados por la humanidad que lo habita. Claro está que tal afirmación requiere una explicación. Y vamos a hacerlo:

Ya hemos dicho que la vida se desarrolla en ese astro en todos y cada uno de los profundos valles ubicados entre las estribaciones de la intrincada red de cordilleras que forma la superficie ganimediana. A la luz natural reflejada desde el planeta primario, Júpiter, se une la que reciben desde el Sol, que a pesar de ser menor que la recibida por la Tierra, en razón de la mayor distancia, es bastante apreciable. Y si tenemos en cuenta que cada valle es el centro de una agrupación urbana, o población, cuya área depende del terreno disponible para las edificaciones y que éstas están construidas en su totalidad con un material brillante, de aspecto metálico destellante por los reflejos que produce, todo lo cual contribuye a aumentar la luminosidad del conjunto, podemos explicarnos fácilmente la razón, muy sencilla en realidad, de aquel fenómeno que siempre ha intrigado a nuestros astrónomos.

Las ciudades en Ganímedes no se parecen a las nuestras. Los métodos de construcción y los materiales empleados son distintos. Hubiera sido un profundo error de sus habitantes proyectar elevados edificios de muchos pisos, y emplear sistemas y materiales de construcción deleznables, como los nuestros, en un mundo expuesto constantemente a los movimientos sísmicos naturales en un cuerpo celeste de tan tremenda actividad volcánica. Así como nosotros, en nuestras grandes urbes, construimos hacia arriba, ellos construyen hacia abajo... Disponen de varios modelos de edificación. Pero por lo general, los edificios de varios pisos penetran en el suelo, sobresaliendo en la superficie uno o dos niveles a lo sumo. Además, todas las estructuras están diseñadas en forma cilíndrica empotrándose en el terreno cada bloque o unidad de vivienda, por grande que sea, en directa conexión con sus vecinas, lo cual contribuye a la mayor solidez total del conjunto.

Se pensará que tal sistema es demasiado oneroso. Que los costos y el tiempo resultan antieconómicos. Puede que tengamos razón, desde el punto de vista de la Tierra. Nuestra humanidad se afana y se enloquece por los coeficientes económicos, porque vive y piensa dentro de normas y costumbres diferentes a las que rigen la vida y el pensamiento de esa otra humanidad. Cuando veamos cuáles son las bases fundamentales de aquella civilización, comprenderemos muchas de las profundas diferencias con la nuestra. En cuanto al aspecto que estamos describiendo, prima en ellos el concepto de la seguridad y de la permanencia estable, sobre el de mayor o menor costo. Porque, en primer lugar, ellos son seres que alcanzan un promedio de vida equivalente a varios siglos de los nuestros... En segundo lugar, viven en un mundo en que han tenido que dominar continuamente a la naturaleza. En un mundo en el que las condiciones económicas, sociales, políticas, religiosas y culturales, son diferentes a las nuestras... En un mundo en que ya no existen comerciantes... En un mundo en el que no se piensa ya en utilidades, sino en garantizar el máximo bienestar de sus habitantes... En un mundo en que el trabajo y la dirección del mismo, alcanzan formas y sistemas enormemente superiores a los que nosotros conocemos. A este respecto, tratándose del tema de la construcción, debe saberse también que las máquinas empleadas por ellos para tales fines son tan poderosas y versátiles que la excavación de los terrenos más extensos, puede realizarla un solo hombre, en poco tiempo, y controlando únicamente un tablero de mandos electrónicos...

De ese modo, pueden ellos relegar el factor económico a un segundo plano, teniendo en cuenta, además, que toda la economía de ese mundo está dirigida y controlada por el Estado, como veremos más adelante, y por tanto lo que prima en este caso, como en todos, es la máxima garantía de todos y cada uno de los seres que lo habitan, dentro del amplísimo concepto de una perfecta fraternidad y de un régimen de vida que asegura a todos una verdadera felicidad integral... Y antes de terminar lo referente a construcciones, debe decirse que la mayoría de esos conjuntos de viviendas presentan lo que nosotros llamamos «tejados» o «azoteas» en forma ligeramente convexa y libre de obstáculos. Ello obedece también a dos fines útilmente calculados: primero, representa la proliferación de múltiples áreas para el descenso de máquinas aéreas de diferentes tipos y tamaños, ya que la mayoría de los habitantes puede requerir de ellas en cualquier momento, y de esa forma no se obstaculiza, como entre nosotros, el tránsito urbano, que para las distancias cortas se hace a pie. Para recorridos mayores, cualquiera puede disponer de pequeños equipos individuales que adaptándose a la espalda permiten realizar vuelos personales de considerable alcance. Así, en todas las ciudades, está asegurada la movilidad sin entorpecer en lo más mínimo la circulación superficial de los peatones, que pueden discurrir libremente por todas las arterias y avenidas, sin la molestia y riesgos que vemos hoy en casi todas las ciudades de la Tierra. El otro fin al que nos referimos al mencionar la forma superior de los edificios, es el permitir la eliminación inmediata de la lluvia o nieve (lo más común), que por un sistema automático de calefacción es licuada a medida que se va acumulando. Las superficies quedan constantemente limpias, despejadas, sin mayor trabajo para los ocupantes del edificio, y pueden también continuar reflejando los rayos luminosos de las dos fuentes siderales ya mencionadas, con lo que se asegura una mejor iluminación general del ambiente urbano.

A este respecto debe recordarse lo que se explicó al comienzo del capítulo anterior. Que en Ganímedes el día tiene una duración aproximada de cuatro de los nuestros, y la noche, tres. Mientras este satélite recorre la parte posterior de Júpiter, su paso por la zona denominada «cono de sombra» del planeta dura más o menos tres días y de dos a tres horas de nuestro tiempo. En este lapso de tiempo, todas las zonas habitadas poseen el mismo sistema de luz artificial que mencionáramos al ocuparnos de las bases en el espacio. Este sistema de iluminación está presente, siempre, en todos los recintos cerrados, junto con otro sistema automático de control y regulación permanente de la atmósfera interior de todos los recintos y edificios. Algo parecido, pero más perfecto, que nuestros sistemas de aire acondicionado.

Y al hablar de atmósferas ambientales, hemos de explicar, también que tanto en los lugares abiertos, como las vías de circulación urbana, y en todo tipo de instalaciones industriales, generalmente subterráneas, reina la más absoluta pureza. No hay máquinas ni vehículos que contaminen el ambiente, porque la mayor parte de las usadas en lo que diríamos el transporte menor, es accionada eléctrica y electrónicamente. Han llegado a desarrollar formas de electricidad nuevas para nosotros, y equipos electromagnéticos de potencia tal que –ya lo hemos visto en el caso de sus naves espaciales– pueden anular y controlar a las fuerzas de gravedad y de inercia. Y en cuanto a todas las máquinas, equipos o instalaciones accionadas por energías atómicas, termonucleares o de otro orden, como hemos dicho anteriormente, disponen de los medios y elementos más perfectos para garantizar el uso permanente e inocuo de todas ellas.

Antes de terminar con lo referente a la construcción de edificios, a su seguridad y estabilidad permanentes, en vista de las condiciones volcánicas y sísmicas del astro, debe saberse que el material empleado para las estructuras y en general para todo tipo de paredes, suelos y techos, es una sustancia plástica de aspecto metálico, liviana y resistente, con resistencia comparable al mejor de nuestros aceros, que no se altera ante ninguna de las reacciones provenientes de la atmósfera o de los distintos tipos de terrenos en que se asienten, y de tal solidez que puede resistir a los más fuertes movimientos sísmicos sin romperse ni perder su forma. Además, el sistema de construcción es por acoplamiento de secciones prefabricadas, que al ser colocadas en su sitio van siendo ensambladas unas con otras de forma tal, mediante un proceso químico especial, que llegan a constituir un solo bloque, lo mismo que si hubiera salido todo el edificio de un molde. No hay junturas, no hay amarres; después de ser sometidas al proceso indicado, todas las secciones quedan unidas como si hubiesen sido fundidas unas con otras en una gigantesca matriz. Puede imaginarse la solidez total del conjunto.

Pero no es esta la única manera de prevenir lo que, en la Tierra, causa tan catastróficos efectos. Ellos cuentan, además, con un vasto sistema de detección y control de los más imperceptibles movimientos de la corteza de su astro. Tal sistema, ampliamente repartido en las entrañas mismas del subsuelo, observa y verifica constantemente el desarrollo de las fuerzas que pueden generar los movimientos. Y si tenemos en cuenta que esos hombres poseen el sexto sentido, o sea la clarividencia, no nos extrañaremos de que puedan conocer con mucha antelación las causas generadoras de toda clase de alteraciones hasta en los más recónditos lugares del interior de su mundo, pudiendo también aplicar a tiempo las formidables fuentes de fuerza y de energía por ellos dominadas, en los sitios y momentos que sea menester para detener un proceso, modificar una determinada tensión, o neutralizar en ciertos lugares peligrosos índices de la continua actividad volcánica de su mundo...

Se ha dicho con anterioridad que esa raza de superhombres alcanza un promedio de vida equivalente a varios siglos de los nuestros. Trataremos de explicar algunos aspectos relacionados con este punto. Tan prolongada longevidad obedece a una serie de factores, muchos de ellos todavía desconocidos por la mayor parte de los hombres de la Tierra. Es lógico que la mayor sabiduría sea la base de todos los demás. La experiencia y el estudio, a través de los miles de siglos de existencia de su civilización, les proporcionan el conocimiento perfecto de las íntimas relaciones entre su cuerpo y la naturaleza toda que los rodea. El funcionamiento de todo su organismo es conocido al detalle hasta por los niños. En ello influye, naturalmente, de manera notable aquel sexto sentido al que nos hemos referido varias veces. La clarividencia, al permitir ver los más ocultos planos de la materia y, además, los niveles de vida superior a la vida física, o sea, los correspondientes a ese plano de la Naturaleza que ya en la Tierra empezamos a estudiar y calcular con el nombre de «la cuarta dimensión», los pone en condiciones de ver cómo se desarrollan todos sus procesos vitales, y si en algún lugar de su cuerpo se está generando la causa de un desequilibrio, de una alteración metabólica o de cualquier otro orden. Pueden controlar, en todo momento, el funcionamiento de sus aparatos digestivo, circulatorio, respiratorio; de la maravillosa red del sistema nervioso, o de las más pequeñas células de su cerebro. Así pues, aprenden desde la infancia a conocer y controlar personalmente cómo, por qué y para qué trabajan todas las partes, todos los mecanismos de su cuerpo, y pueden, por tanto, escoger sabiamente las sustancias más apropiadas que requiera para su conservación.

Ello explica que lleven un régimen de vida especial, una dieta alimenticia científicamente controlada y la abstención de cualquier elemento peligroso o impropio para el superior desarrollo integral de todo su ser. La mayor parte de sus alimentos provienen del reino vegetal; pero utilizan también una serie de productos químicos de origen mineral que, en conjunto equilibrado, mantienen en perfectas condiciones todos los órganos del cuerpo físico, aumentando su vitalidad y reforzando hasta límites increíbles la energía de su cuerpo etérico vital, para la máxima captación de las energías provenientes del Cosmos...

Así logran, por ejemplo, mantener secularmente limpio todo el sistema vascular, evitando la tan común esclerosis que entre nosotros afecta desastrosamente nuestras venas y arterias y que es, en realidad, la causa principal de la vejez. Para ello, todos los adultos, a partir de una edad equivalente a nuestros cuarenta años, se someten a un tratamiento especial que consiste en la administración de pequeñas dosis de una esencia vegetal procedente de una planta que Pepe no recuerda haber conocido en la Tierra. Se trata de una especie parecida a algunas cactáceas, de hojas pequeñas y carnosas, de color entre verde y azulino, la cual es cultivada en invernaderos especiales, con muy poca luz y a temperaturas constantes que no deben sobrepasar los 30° C, ni bajar de los 22° C. El líquido esencial extraído de estas hojas tras un delicado proceso químico, es inyectado por vía intravenosa, en dosis mínimas durante un período de quince días, en los cuales el paciente guarda absoluto reposo en hospitales del Estado, en los que recibe una dieta alimenticia de equilibrio constante con relación a las reacciones que se van observando y que nunca duran más de los mencionados 15 días. Mediante ese tratamiento, que se repite una vez cada año, todo el sistema vascular es «limpiado» íntegramente de impurezas y los tejidos que forman dichos conductos, hasta en los vasos capilares, renuevan su elasticidad y lozanía. La mencionada sustancia, contribuye igualmente a la depuración renal impidiendo la formación de posibles cálculos.

También hemos comentado ya que en Ganímedes hacía muchos siglos que dejaron de existir las dolencias por origen microbiano. Desde hace algunos milenios, todo tipo de bacteria, virus, o cualquiera otra forma de gérmenes patógenos había sido eliminada totalmente. Por lo tanto, no existen allí ninguna de las enfermedades que entre nosotros son comunes. Y si tenemos en cuenta que la alimentación es sabiamente administrada y controlada, según lo ya explicado, llegamos a comprender cómo la salud estable y perfecta puede alcanzar índices hasta de un 95% del total de la población. La mayoría de los casos, dentro del 5% restante, obedecen generalmente a situaciones de emergencia, accidentes fortuitos de carácter imprevisible que suelen requerir tratamientos de tipo quirúrgico. Y en este campo, como en el de la medicina general, han llegado a logros verdaderamente milagrosos. Baste decir que pueden reemplazar cualquier órgano del cuerpo, no con sustitutos desechados de cadáveres, como se hace en la Tierra, sino con órganos nuevos «fabricados» (valga la expresión) a base de una pequeña porción –mínima– del mismo órgano que requiera reemplazarse. En otra parte de este libro se dijo que poseían un séptimo sentido: el del «Verbo Creador» y que con él podían actuar sobre todas las formas de materia y e incluso sobre los elementos de la naturaleza... Supongo la expresión de incredulidad que mostrarán muchos al leer esto... Pero no olvidemos que hace dos mil años, en la vieja Galilea, la voz potente y divina de Jesucristo, fue obedecida varias veces por los vientos y el mar, por las aguas que se transformaron en vino, o por los ojos y los oídos muertos de muchos enfermos de aquel entonces; y aún más, por todos los órganos, ya descompuestos, de su discípulo Lázaro...

Muchos se reirán al leer esto, y la mayoría pensará que es pura imaginación o exceso de misticismo ciego. Porque los que ignoran las grandes verdades cósmicas, proceden lo mismo que lo que hubiera hecho nuestra humanidad del siglo pasado, si les hubiesen hablado de la televisión, de los ordenadores o de nuestros actuales viajes a la Luna. Para seres acostumbrados a vivir en un mundo con sólo tres dimensiones y cinco sentidos, que únicamente alcanzan a percibir y conocer la vida física dentro de esas tres dimensiones, pasa lo mismo que sucedería a un ser que, siendo inteligente y pudiendo razonar, viviese, por ejemplo, una clase de vida igual a la existencia de los peces. Si solamente puede apreciar las formas de vida submarina, sin alcanzar jamás a conocer el mundo terrestre que se extiende más allá de su mundo acuático, es lógico que aquel ser tan sólo concibiera la vida según las condiciones reinantes en ese mundo acuático por él conocido. Para ese ser imaginario, como para los peces, todo el universo, todas las formas de vida y todas las posibilidades de existencia quedarían reducidas a las de los seres que habitan en el fondo de los mares...

¿Cómo puede nuestra humanidad opinar certeramente sobre mundos y existencias que trasciendan a la cuarta, la quinta, o superiores dimensiones; sobre condiciones de vida, de conocimiento o de poder, a través de sentidos superiores a los cinco por nosotros conocidos...? ¿No estaríamos procediendo, en verdad, como aquel ser imaginario del mundo submarino?

Y cada mundo, cada plano de la Naturaleza o «dimensión», posee características propias, fuerzas y energías especiales, que se manifiestan y actúan de acuerdo con leyes fijas e inmutables, leyes y fuerzas imposibles de comprender por quienes, desconociéndolas, son incapaces de entenderlas. Debemos saber que aquellas «dimensiones» existen. Que en aquellos planos de la Naturaleza moran seres diferentes a nosotros, entidades invisibles para el ojo físico e inaudibles por los oídos comunes al hombre de la Tierra. Pero entidades, muchas de ellas tan poderosas que su acción trasciende los límites de cada plano o dimensión, se manifiestan como fuerzas en determinados aspectos del plano de materia física apreciado por los cinco sentidos de nuestra humanidad. En ciertas escuelas esotéricas y en el campo de la metafísica y de la metapsíquica, se enseña algo de esto y se denomina a muchos de tales seres como «Espíritus de la Naturaleza». Para los profanos, todo esto puede parecer absurdo, fantástico o superticioso... Pero no olvidemos que todas las religiones han reconocido y enseñado –veladamente es cierto, pero lo han intentado– presentando con distintos nombres la existencia de aquellas entidades superiores, de aquellas formas de vida inteligente mucho más avanzadas y poderosas que nosotros, a quienes el cristianismo agrupa en las diferentes categorías de ángeles, arcángeles, querubines, serafines, tronos y otras tantas que no han podido ser explicadas satisfactoriamente, por la misma falta de medios para ello en un mundo –o plano– de existencia y posibilidades inferiores. Pero aun en nuestra Tierra hay algunos que lo saben, que han logrado penetrar conscientemente en esa «cuarta dimensión», y que, por tanto, están capacitados no sólo para comprenderla sino para llegar a comunicarse y hasta «trabajar» en contacto con las entidades de ese Plano.

Esto, que es común y normal en la humanidad que habita Ganímedes, da lugar a otra consecuencia directa de la vida en la cuarta dimensión: para los seres que pueden actuar, consciente y regularmente, en ese plano de la Naturaleza, deja de existir la muerte, según el concepto que de ella tenemos en la Tierra. Pero tan trascendental aspecto de la Vida requiere para su comprensión un mayor análisis y una explicación más detallada. Trataremos de conseguirlo en el próximo capítulo...

CAPÍTULO 9

La cuarta dimensión

Debo advertir que resulta muy difícil tratar de explicar fenómenos o hechos correspondientes a un mundo de cuatro o más dimensiones, con el lenguaje corriente estructurado por un mundo en que sólo se conocen tres. Pero ya que no tenemos otro, sigamos adelante. El genio investigador en algunos sabios modernos, como Albert Einstein entre otros de este siglo, ya ha llegado a vislumbrar su existencia. Pero la principal dificultad estriba en que el método y los cálculos matemáticos se basan en leyes y comprobaciones correspodientes a la física de un determinado plano de la Naturaleza: el plano de la materia concreta, de la física en tres dimensiones... Y en los planos superiores al de la materia como la conocemos rigen otras leyes, existen nuevas fuerzas y la misma materia se nos presenta en nuevas formas, que en ciertos niveles puede llegar a confundirse con la energía. El concepto de la constitución atómica y molecular de la materia, que rige hasta ahora nuestra ciencia, no es un concepto absoluto, sino relativo, como todo en el Universo. Las teorías clásicas del átomo han tenido que ser modificadas paulatinamente a medida que se fue descubriendo la existencia, dentro del mismo, de partículas aún más pequeñas. Ya se vislumbra la presencia, en la materia, de corpúsculos o partículas tan infinitamente microscópicas como para ser menores incluso que los protones, electrones y neutrones... Esto podrá acercar a nuestros físicos, más o menos pronto, a los linderos de esa cuarta dimensión. Pero no podrá solucionarse el problema hasta que no se encuentren los medios adecuados para su estudio, y se pueda comprender, primero, y trabajar después, en los planos de la Naturaleza que trascienden y dominan al más inferior de ellos, el de la materia física y concreta conocido por una humanidad que sólo cuenta con cinco sentidos en un mundo de tres dimensiones...

Esos otros planos o dimensiones –pues los nombres importan poco– fueron conocidos, estudiados y comprobados, desde la más remota antigüedad, por determinadas «escuelas» o centros de enseñanza esotérica que, en diferentes épocas y lugares, impartieron su instrucción, dentro de normas y disciplina muy severas, a grupos muy escogidos, por la índole especial de los conocimientos y la necesidad imperiosa de entregarlos solamente a quienes llegaran a capacitarse y probar su idoneidad para ello. Porque el conocimiento de tales verdades implica el desarrollo de nuevos poderes o facultades que, de estar en manos inexpertas o inmorales, podrían ocasionar verdaderos cataclismos. El dominio absoluto de la Materia y sus relaciones íntimas con la Energía, dentro de los infinitos límites del Cosmos, sólo pueden ser obtenidos por quienes, a través de una larga evolución, hayan alcanzado los más altos niveles morales, intelectuales y mentales, para no hacer mal uso, en ninguna parte ni en ninguna forma, de esos mencionados poderes, que van implícitos en cada una de las grandes verdades ocultas que la Vida manifiesta en los diferentes niveles, planos o dimensiones en que se divide el universo físico y su contraparte, o Cosmos integral...

Cualquiera persona con cierta cultura tendrá, por lo menos, alguna noción o elemental conocimiento de la existencia de tales escuelas, fraternidades u órdenes, algunas mejor conocidas; otras en verdad tan secretas, que su existencia ha transcurrido, desde siglos, entre los herméticos límites de sus disciplinados miembros. ¿Quién no ha oído hablar, por ejemplo, de los Hermanos Esenios, de la época de Cristo; de los Rosacruces, o Fraternidad Rosacruz; de los Magos de Zoroastro, en la antigua Persia; de las Sociedades o Escuelas Teosóficas; de los Misterios de Eleusis, en la antigua Grecia; de los misteriosos lamasterios del Tíbet y de la India; o de la moderna Fraternidad Universal de Hermanos Acuarianos u Orden de Acuarius?... Pero ¿habrá muchos que puedan saber algo positivo acerca de los Hermanos de la Esfinge, del antiguo Egipto, de la hermandad secreta de Antiguos Nazarenos, de los herméticos Caballeros de la Mesa Redonda; o de los invisibles Discípulos de la Gran Logia Blanca de los Himalayas...?

Mucho ha avanzado nuestra cultura en los últimos siglos. Es realmente encomiable el rápido y sorprendente desarrollo de la ciencia y de la técnica, en especial lo que hemos alcanzado en las últimas décadas del presente siglo; pero ¿hemos avanzado, igualmente, en los dominios de la moral, de la ética, de la política regional o internacional, o simplemente en el desarrollo de los campos ilimitados de la mente y del espíritu...? Y es precisamente en estos terrenos en los que necesita el hombre de la Tierra cultivarse, realizar nuevas hazañas, subir muchos peldaños en la Escala de la Vida, para poder conseguir la superación integral requerida para su ingreso consciente y voluntario a planos, reinos, dimensiones o mundos superiores al de la materia física...

No es una discriminación caprichosa. En el Universo y en el Cosmos, nada se hace por capricho. Ya lo dijo también Einstein, al refutar la teoría del físico alemán Heisenberg sobre el «Principio de la Incertidumbre», que pretendía afirmar que algunos fenómenos ocurridos en los átomos eran fruto del azar. El sapientísimo padre de la teoría de la relatividad manifestó al respecto: «No puedo creer que Dios juegue a los dados con el mundo».

entre los herméticos límites de sus disciplinados miembros. ¿Quién no ha oído hablar, por ejemplo, de los Hermanos Esenios, de la época de Cristo; de los Rosacruces, o Fraternidad Rosacruz; de los Magos de Zoroastro, en la antigua Persia; de las Sociedades o Escuelas Teosóficas; de los Misterios de Eleusis, en la antigua Grecia; de los misteriosos lamasterios del Tíbet y de la India; o de la moderna Fraternidad Universal de Hermanos Acuarianos u Orden de Acuarius?... Pero ¿habrá muchos que puedan saber algo positivo acerca de los Hermanos de la Esfinge, del antiguo Egipto, de la hermandad secreta de Antiguos Nazarenos, de los herméticos Caballeros de la Mesa Redonda; o de los invisibles Discípulos de la Gran Logia Blanca de los Himalayas...?

Mucho ha avanzado nuestra cultura en los últimos siglos. Es realmente encomiable el rápido y sorprendente desarrollo de la ciencia y de la técnica, en especial lo que hemos alcanzado en las últimas décadas del presente siglo; pero ¿hemos avanzado, igualmente, en los dominios de la moral, de la ética, de la política regional o internacional, o simplemente en el desarrollo de los campos ilimitados de la mente y del espíritu...? Y es precisamente en estos terrenos en los que necesita el hombre de la Tierra cultivarse, realizar nuevas hazañas, subir muchos peldaños en la Escala de la Vida, para poder conseguir la superación integral requerida para su ingreso consciente y voluntario a planos, reinos, dimensiones o mundos superiores al de la materia física...

No es una discriminación caprichosa. En el Universo y en el Cosmos, nada se hace por capricho. Ya lo dijo también Einstein, al refutar la teoría del físico alemán Heisenberg sobre el «Principio de la Incertidumbre», que pretendía afirmar que algunos fenómenos ocurridos en los átomos eran fruto del azar. El sapientísimo padre de la teoría de la relatividad manifestó al respecto: «No puedo creer que Dios juegue a los dados con el mundo».

uno de estos hechos inexplicables. Y esto se multiplica por los millones de seres que pueblan nuestro mundo. Si esto ha sucedido, y continúa sucediendo, pese al gran adelanto de la ciencia y de la técnica actuales, sin que esa ciencia y esa técnica puedan encontrar respuesta satisfactoria al enigma planteado por uno de aquellos casos, ¿dónde hallar la solución?

Hemos de aceptar, entonces, la presencia de causa o causas que generan esos hechos, y si tales causas han producido fenómenos de cierta magnitud, y tanto los efectos como las causas no tienen explicación dentro de los conocimientos de nuestra humanidad o de nuestro mundo, es forzoso reconocer que han de existir fuerzas o entidades generadoras de aquellas, por la misma razón de que la nada no genera nada, que la nada no existe en el Universo y que todo efecto –por extraño que parezca– supone una causa, y si esa causa escapa a toda posibilidad de explicación terrena, es debido a que nuestros conocimientos aún no han llegado al nivel donde se mueven, reinan o se desarrollan tales fuerzas o entidades. En otras palabras, estamos a la puerta, o en la frontera, de esos mundos superiores a que nos venimos refiriendo, planos o dimensiones –como nos plazca llamarlos– en los que se genera o tienen su evidente expresión los múltiples aspectos de la Vida Eterna todavía incomprensibles por nosotros...

Y uno de esos planos, el más cercano, es aquella «cuarta dimensión». Viene a ser, como si dijéramos, un puente entre nuestro mundo físico y los mundos superiores suprafísicos, o planos de materia y de energía superiores a todas las conocidas por humanidades del tipo de la nuestra. La que habita en Ganímedes –ya lo hemos dicho– posee dos sentidos más, y con ellos, los medios e instrumentos para actuar simultáneamente en los planos inferiores y en el inmediato superior. El sexto sentido –o de la clarividencia y clariaudiencia– permite recibir, organizar y controlar consciente y voluntariamente la amplísima gama de fenómenos que se originan y tienen su cabal expresión en las nuevas formas que asume la materia en ese plano, y las diferentes clases de ondas y frecuencias vibratorias que se manifiestan en el mismo. Esto equivale a decir que la Materia y la Energía ofrecen nuevos campos de experimentación y de trabajo a quienes poseen tal sentido que, en cierto modo, es aquel «tercer ojo» del que nos han hablado antiguas escuelas esotéricas orientales. Pero ya dijimos, y debe tenerse presente, que los hombres de Ganímedes lo tienen por naturaleza. Es un sentido con órganos fisiológicos propios y de nacimiento. Se ha dicho igualmente que resulta difícil explicar en lenguaje de otro mundo, realidades o fenómenos de un mundo diferente. Procuraremos ayudarnos en la tarea con ejemplos del funcionamiento de tal facultad o sexto sentido.

En primer lugar hemos de recordar que la constitución atómica y molecular de todos los cuerpos –sean elementos o compuestos según la clasificación de nuestro mundo– alcanza niveles cada vez más sutiles y actúa dentro de la influencia de fuerzas y energías, también diferentes en varios aspectos a las ya conocidas por nosotros. Todas ellas son captadas por el nuevo sentido, y esto no es difícil de entender si recordamos que entre nosotros, muchas ondas visuales y sonoras escapan a los límites de nuestra vista u oído. Por otra parte, toda la variedad de ondas electromagnéticas (por ejemplo, las utilizadas en la televisión o la radio) aunque existieron siempre a nuestro alrededor, sólo fueron conocidas cuando se las pudo evidenciar con el descubrimiento de modernos medios e instrumental adecuados. Otro ejemplo, más sencillo aún, nos lo proporciona la fotografía con rayos infrarrojos. Sabemos cómo es imposible impresionar placas en la oscuridad; pero con la ayuda de los rayos infrarrojos, que no son visibles por el ojo humano, se logra hacerlo. Igual fenómeno acontece con los rayos X. La retina es incapaz de captarlos. Pero desde su descubrimiento por Conrado Roentgen, ha sido posible ver a través de ciertos cuerpos opacos. Claro que esta visión no es absolutamente clara ni alcanza por completo a toda la materia universal ni mucho menos a la cósmica. Pero nos permite evidenciar objetos que, sin ellos, estaban fuera del alcance de nuestra vista común.

Algo parecido, en escala mucho mayor, es aquel sexto sentido, o «tercer ojo». Esta denominación de origen oriental no es propiamente exacta. No se trata, en realidad, de un ojo nuevo, sino de la facultad de percibir claramente los fenómenos, fuerzas y entidades que existen dentro de un plano en que la materia se encuentra en grados más sutiles que los conocidos en otro plano inferior de la Naturaleza, que es el nuestro. Los descubrimientos, cada vez más notables en el campo de la electrónica, de las ondas electromagnéticas y otros, en el curso de este último siglo, nos demuestran la realidad de tales fenómenos. Y si tenemos en cuenta que, a cada plano de la Naturaleza, o dimensión en la escala de la Vida, corresponden ciertos grados o límites de sutileza, frecuencias de onda o manifestaciones de tipo etérico de la Sustancia Cósmica Universal que interviene en las diferentes formas en que se manifiesta la Vida en todos y cada uno de los planos o mundos que integran el Cosmos, podremos comprender que el problema se reduce a encontrar los medios para demostrar tales formas de vida, como ya se ha obtenido en algunos casos, con los últimos descubrimientos, algunos de los cuales hemos mencionado.

El sexto sentido, por tanto, siendo una facultad nueva, que se manifiesta a través de todo el cuerpo –especialmente del cerebro– permite conocer la vida y los seres que viven dentro de aquellos límites, a los que no alcanzan las posibilidades materiales sensorias de un plano inferior. Así, quienes lo poseen, pueden ver a través de todas las formas de materia sólida. Las paredes, las más compactas rocas, metales, o cuanto conocemos en nuestro mundo, son como cristal transparente y limpio para ese «tercer ojo». El interior del cuerpo humano, y de todos los cuerpos, de todas las sustancias y de todos los seres, es perfectamente visible, comprensible y hasta audible. Nada puede permanecer **oculto** a tan poderosa visión. Ni siquiera el pensamiento. Porque el sexto sentido, ya lo dijimos, puede «ver» o alcanzar a percibir no sólo todas esas nuevas formas de materia, sino hasta las fuerzas que las mueven y el desarrollo y trayectoria que éstas siguen. De tal suerte el clarividente conoce, en su amplitud (relativa, pues todo se condiciona al mayor o menor grado de potencia de dicha facultad) cuanto existe o vibra en un mundo nuevo, además del mundo físico por nosotros conocido. Y en ese otro plano –o cuarta dimensión– tienen su morada muchos seres y entidades inteligentes, no sólo de tipo humano, sino también infrahumano y suprahumano, como aquellos «espíritus de la Naturaleza» ya mencionados. Además, junto con seres angélicos de nivel superior a toda humanidad, que pueden visitarlo con frecuencia para el cumplimiento de misiones cósmicas especiales, se hallan de paso las almas de quienes abandonaron la Tierra al morir.

Todos estos puntos requieren una mayor explicación. Vamos a ofrecerla en un próximo capítulo. Pero antes de terminar éste, conviene exponer que tales hechos han sido conocidos y comprobados en la Tierra por todos los discípulos avanzados de aquellas escuelas esotéricas u órdenes iniciáticas secretas ya mencionadas. Y entre los sabios modernos más destacados, aquel gran inventor norteamericano Tomás Alva Edison, también llegó a participar secretamente de tal conocimiento. Antes de morir, estuvo empeñado en descubrir la forma de construir un mecanismo que pudiese evidenciar aquel plano de la Naturaleza, permitiendo comunicarnos con los muertos...

CAPÍTULO 10

Mundos en que no existe la muerte

Al finalizar el capítulo anterior nos hemos referido al propósito de Edison de lograr un mecanismo para comunicarse con los espíritus de las personas fallecidas. Tal vez lo habría conseguido; pero la muerte detuvo sus investigaciones. No obstante, su afanoso empeño en tal sentido es una demostración de que aquel sabio conocía bastante ese terreno. Y no es extraño, porque el hombre que inventara el fonógrafo, las lámparas incandescentes y más de mil otros inventos de gran utilidad para nuestra humanidad, fue miembro –en secreto como todos los demás– de la más rígida y hermética escuela iniciática entre las mencionadas en el capítulo anterior: la de «Los Caballeros de la Mesa Redonda»...

Porque en esas «escuelas», al llegar a ciertos grados, o estados evolutivos de propia superación, los más adelantados alcanzan a desarrollar la visión clarividente, no con órganos permanentes como en la humanidad de Ganímedes; pero de manera transitoria, consciente y voluntaria, con la cual pueden también conocer, comunicarse y actuar hasta ciertos límites en esa «cuarta dimensión». Y en ella comprueban que la muerte, según la conocemos, sólo existe en mundos como el nuestro, limitados por cinco sentidos y tres dimensiones...

Para poder comprender la gran amplitud de ese complejo fenómeno de la Vida que en nuestro mundo llamamos «la muerte», es indispensable conocer una serie de factores que intervienen en su desarrollo, verdades cósmicas íntimamente ligadas al sabio proceso de la Evolución Universal, que obedeciendo a las Grandes Leyes del Cosmos, buscan facilitar el alcance de la Perfección a todos los seres que viven y se desenvuelven en los vastos confines del Universo Integral. Teniendo en cuenta que una explicación detallada del tema requeriría por sí sola de un amplísimo volumen y que tales verdades cósmicas han sido enseñadas desde antaño por todas las escuelas esotéricas ya mencionadas, existiendo una abundante bibliografía de distintas épocas para ilustrar a quienes lo deseen, nos limitaremos a presentar ahora un simple esbozo esquemático, una síntesis clara pero sencilla, lo suficientemente explícita para que los profanos alcancen a tener una idea básica de los fundamentos sobre los que gira todo el proceso de la Evolución de la Vida en el Cosmos, pero sin ir más allá de los límites de un boceto elemental. Quienes, después de leer esto, deseen ampliar sus conocimientos sobre el tema, pueden encontrar en todas las bibliotecas y librerías especializadas en asuntos de metafísica y ciencias esotéricas, gran cantidad de libros que se ocupan detalladamente de este estudio.

Debemos comenzar por enunciar (para los profanos) que en el Cosmos, o sea el Universo Integral, todo evoluciona desde los aspectos o formas más simples, hasta los más complejos y avanzados niveles de Vida o de Existencia. En todos los reinos de la Naturaleza, y en todos los planos, mundos o dimensiones de la misma, se cumple esta eterna y gran verdad cósmica. Esta ley del Universo tiene su máxima expresión en la sapientísima fórmula que nos legó hace miles de años el padre de toda la formidable cultura esotérica del antiguo Egipto, Hermes Trismegisto, uno de los grandes maestros extraterrestres mencionados en la primera parte, cuando escribió, para todas las Edades: **«Como es Arriba, es Abajo»**... Y esto ha sido comprobado, en el transcurso de los siglos, por los más destacados sabios de la Tierra. Quería decir que así como la vida se manifiesta en lo más pequeño, en lo más íntimo y oculto del Universo y del Cosmos, así también actúa en lo más grande, en lo más evidente y magno de toda la Creación. Ejemplos científicamente comprobados existen por millares. Basta con uno solo, pero de fuerza contundente. Los átomos son verdaderos sistemas planetarios microscópicos, en donde las fuerzas y energías cósmicas y universales actúan de la misma manera que en esos otros átomos gigantescos, los magnos sistemas estelares o familias planetarias que pueblan los espacios infinitos...

Y otra de esas grandes verdades eternas es que nada se destruye totalmente. La Materia y la Energía pueden manifestarse en las más variadas formas, en las múltiples fuerzas que mueven los más variados mundos y a todos los seres que en ellos evolucionan. Nuestra ciencia, igualmente, ha comprobado esta otra ley universal. La Materia y la Energía pueden transformarse hasta el infinito. Manifestarse en los niveles más distantes de la Vida, actuar y trabajar desde los aspectos microscópicos incalculables hasta las magnitudes astronómicas también inalcanzables todavía por nosotros... Pero jamás se destruyen totalmente; aunque en apariencia creamos que un fenómeno determinado ha ocasionado la destrucción de cierta forma de materia o de energía, la ciencia nos demuestra que sólo ha habido un cambio, una transformación en nuevos elementos o compuestos, en nuevas fuerzas o manifestaciones de energía, que siguen existiendo y trabajando en ese infinito e inconmensurable Sendero de la Vida Eterna...

Y la Muerte que, para los profanos de un tipo de mundos como el nuestro –ciego todavía para muchos aspectos de esa Eterna Vida, es la destrucción final, el término de la vida– es en realidad una de aquellas transformaciones, fenómeno magistral con el que la Sabiduría Suprema proporciona al Ser las oportunidades necesarias de progresar, evolucionar desde los niveles ínfimos de primitivas existencias, hasta los más altos peldaños en esa escala que se manifestó en el sueño simbólico a Jacob, como alegoría del eterno camino de la evolución, sendero de la Vida, en que todos los seres van avanzando desde los estados más ínfimos hasta las supremas cumbres luminosas de la Sabiduría, del Poder y del Amor. Y ese progreso paulatino, ese «Largo Camino de la Evolución», no puede alcanzarse en una sola existencia. Basta mirar el mundo que nos rodea, con todas sus desigualdades, con todos sus extremos y contradicciones, con diferencias tan grandes entre unos y otros seres, para comprender que ese proceso de superación –si es cierto– no se puede lograr en el corto espacio de tiempo de una vida. Por muchos que sean los años en la existencia de un hombre, es imposible que un salvaje, como los primitivos habitantes de las cavernas trogloditas, llegue a convertirse, en tan corto tiempo, en un sabio como Edison, Einstein u otros tantos, o en un santo como Francisco de Asís, pongamos por caso. Pero la misma historia nos demuestra que los pueblos han evolucionado como evolucionaron los hombres. Y si los hombres han ido progresando desde los tiempos cavernarios, y si la humanidad –pese los muchos defectos que aún tiene– ha llegado hasta niveles de civilización tan altos como hoy ocupa, es lógico pensar que ese proceso de superación se cumple, y si se cumple, tiene que obedecer a un plan determinado, a un sistema en que se manifiesta una inteligencia capaz de proyectarlo, y a la concurrencia de un poder suficiente para mover las fuerzas que pongan en acción tan complicado plan. Y si el plan tiene éxito, si esa humanidad va saliendo de los ínfimos niveles del salvajismo y alcanzando etapas cada vez más superadas, tenemos que aceptar que la inteligencia y el poder del proyectista han sido tan grandes como para transformar a toda una humanidad y cambiar todo un mundo.

Ahora bien, si ese proceso de superación constante –o fenómeno de evolución– vemos que se manifiesta no sólo en nuestro mundo sino en otros, como el caso que venimos estudiando en este libro, ante la innegable presencia de seres más adelantados que nosotros, tenemos que reconocer, pese a cualquier escepticismo –por consigna o por capricho– que esa inteligencia y poder de tan magno proyectista llega a otros mundos, a otras humanidades, con la misma potencia y la misma sabiduría comprobadas por nosotros. Quien ha podido planear tales procesos y realizar sus planes con los efectos que evidencia cada caso, demuestra innegablemente la existencia de un ser o seres capaces de dirigir y controlar la vida en cualquiera de los mundos que integren nuestro sistema solar. Tal poder y tal sabiduría, lógicamente, superan todo nivel humano... Por tanto, a ese ser al que hemos presentado en el ejemplo como «el proyectista», podemos darle cualquier nombre, sin alterar en nada la existencia de tan supremas facultades.

Y nuestra humanidad, así como la de Ganímedes, lo ha llamado DIOS...

En ambos mundos el concepto sobre DIOS implica la suprema sabiduría, la omnipotencia infinita, la suprema Bondad y el supremo Amor. Y ahora cabe preguntarse: un Ser con tales atributos ¿sería capaz de hacer a su capricho tan tremendas injusticias como nos muestran las enormes desigualdades reinantes en la humanidad que conocemos?... ¿Es posible concebir a DIOS como la Suprema Perfección, al contemplar en nuestro mundo a seres de tan distinta condición, de tan extremos y apartados medios de vida, con tan opuestas facultades: perpetuos mendigos y afortunados millonarios; ignorantes y analfabetos frente a sabios de todo tipo; criminales despiadados y hombres o mujeres cuya bondad y altruismo alcanzan a la santidad; tiranos todopoderosos y humildes siervos oprimidos... Toda esa polifacética expresión de nuestra humanidad, con sus vicios y virtudes, arrastrándose en el camino de la vida...?

Este doloroso panorama ha hecho dudar a muchos de la existencia de DIOS... Muchos ateísmos se han basado precisamente en el elevado anhelo de una mayor justicia, de una mejor nivelación. Y al no lograr la explicación razonable, cayeron en el rechazo de todo concepto de la Supremacía Divina y de la negación absoluta de esos mundos superiores predicados por las religiones... Pero la respuesta a sus anhelos y preguntas estuvieron siempre en las profundas lecciones de esas escuelas iniciáticas, tantas veces mencionadas. En las antiguas y siempre nuevas enseñanzas que, al darnos el conocimiento de otros planos, de otros mundos y dimensiones en que se desenvuelve la Vida, y todas las fuerzas y leyes del Cosmos, explican ampliamente el porqué de ese acertijo.

En una sola existencia no se puede dar el gigantesco salto desde el primitivo salvajismo en que estuvieran sumidos los contemporáneos del Pitecantropus Erectus, de los «Hombres de Cromagnón o del Neardenthal» hasta los de nuestro siglo XX. Esto es obvio. Pero si pensamos que un espíritu cualquiera pueda disponer de tiempo, de los siglos indispensables para el lento desarrollo de toda la conformación, fisiológica y psíquica, que vaya transformando poco a poco todo el conjunto para poder adquirir los conocimientos que han de convertirse luego en facultades, desde las más simples y groseras formas de pensamiento, de asimilación de experiencias y de transmutación de efectos progresivos, hasta los niveles de nuestra humanidad contemporánea, llegaremos a aceptar que ese proceso –aunque sea milenario– sí puede ser un verdadero camino de superación, comparable, dentro de la máxima hermética, al proceso cultural que sigue cualquier hombre, en el corto lapso de una sola existencia para llegar a capacitarse en determinada actividad, empleo o profesión, con miras a un mejor nivel o estándar de vida. Esto significa la necesidad de aprender. Cambiar la ignorancia por el saber, por la adquisición de todos los conocimientos requeridos por la meta ambicionada. Y así, el niño ingresa en una escuela en donde adquiere, año tras año, la instrucción básica o primaria. Según sea la meta que se proponga alcanzar, tendrá que seguir estudiando más o menos años, para aprender todos los cursos que la profesión, empleo u oficio pretendidos le exijan. Es el común y siempre repetido camino que todos han seguido y siguen. Y si comparamos este diario y general proceso de superación personal en una simple existencia –o sea, en lo pequeño– con la evolución progresiva que pueda transformar a ese salvaje cavernario en un sabio del siglo XX, pongamos por caso, estamos enfocando en realidad los amplios y profundos alcances que en este campo tiene aquella sabia fórmula de Hermes: «Como es Arriba, es Abajo». Para obtener los conocimientos necesarios relativos a una determinada actividad, en el corto lapso de una «encarnación» (o manifestación de la vida del espíritu dentro de cierto límite de tiempo, en un determinado espacio y forma de materia) pueden bastar los años que dure esa existencia. Pero si pensamos en la Sabiduría Absoluta, en el Poder Supremo Universal y en la Perfección, que es la meta macrocósmica del Ser Humano, hemos de comprender que sesenta, ochenta, cien o más años son muy pocos para poder conocerlo todo, adquirir la absoluta experiencia de todo el Universo Integral... Los más sabios entre todos los sabios de la Tierra saben muy bien cuánto les falta aún por aprender con sólo referirnos a los límites de nuestro sistema solar... Si recordamos que nuestro sistema planetario es nada más que uno de los muchos millones de sistemas que forman el conjunto de astros de una sola galaxia: nuestra Vía Láctea y que igual sucede en los miles de galaxias y nebulosas ya conocidas por la Astronomía, tenemos que rendirnos a la evidencia de que por mucho que se haya avanzado y se avance en la ciencia de este mundo, siempre hay y habrá un «más allá», porque sólo somos como una pequeña gota de agua en ese océano inconmensurable de la Vida que es el Cosmos... Y para llegar por lo menos a conocer todo lo referente a nuestro pequeño sistema planetario ¿cuánto nos falta aprender todavía, pese a los milenios con que cuenta nuestra civilización? ¿Cuántos millones y millones de años necesitaremos, si pretendemos extender nuestra sabiduría hasta los insondables límites de nuestra «Vía Láctea», o de las demás galaxias cuya presencia nos muestran los más modernos telescopios electrónicos...?

Pero la existencia de ese otro mundo habitado, la sabiduría alcanzada por los hombres de Ganímedes y sus periódicas visitas a la Tierra vienen hoy a demostrar muchas de las grandes verdades cósmicas que, desde antaño se han enseñado en el seno de aquellas fraternidades ocultas, de esas «escuelas esotéricas» a que nos hemos referido. Y una de las más comunes lecciones –la que podríamos llamar piedra fundamental de toda esa enseñanza– es la «Ley Cósmica de la Evolución Progresiva» de todos los seres y de todos los mundos, planos y dimensiones, en un eterno proceso hacia la Perfección Absoluta... Y como esto no lo puede lograr nadie en una sola existencia, llegamos al punto de explicar también cómo se desarrolla el proceso dentro de los Planes Cósmicos o Divinos, para dar a todos sin excepción las oportunidades que requiera el largo peregrinaje a través de todo el Universo, hasta conquistar las cumbres gloriosas de la Luz, de la Verdad y de la Vida... El desarrollo de tal proceso nos enfrenta con otra de las grandes verdades cósmicas: la de la pluralidad de existencias o «Ley de la Reencarnación».

Para comprenderla, vamos a usar de nuevo el ejemplo de los estudiantes comunes de los centros de instrucción repartidos en todo nuestro mundo. Según sea la meta que se propone un estudiante, así ha de ser el tiempo que le exija el aprendizaje de los cursos requeridos, y la práctica o experiencia que lo capaciten eficientemente en la actividad escogida. Esos cursos y esa experiencia le han de llevar determinado tiempo, más o menos años, según sea la importancia de los conocimientos necesarios y su aplicación al trabajo propuesto. Cada año de estudios, en este símil de la vida diaria, podemos compararlo –en la escala cósmica y en la proporción que la fórmula de Hermes nos indica– a una «encarnación» en un determinado mundo. Vale decir al curso de una existencia, en ciertas condiciones de vida, para adquirir los conocimientos necesarios, o experiencia, acerca de esa forma de vida, de ese tipo de mundo o ambiente, dentro de los límites calculados por el volumen y calidad de las lecciones que se deba aprender, todo ello enmarcado entre las medidas de tiempo, espacio, materia y energía que constituyan el «programa de estudio», comparable al volumen de cursos que lleva en determinada clase y tiempo el estudiante de la vida diaria común. Así como éste, si atiende sus lecciones y trabaja con esmero, logra aprobar sus cursos y puede pasar al año siguiente a una clase superior, o si es flojo, despreocupado y no estudia, será suspendido tantas veces como falle en el debido aprovechamiento; de igual modo, en esa Gran Escuela de la Vida que es el Cosmos, todos los espíritus tienen que afanarse por aprender, avanzar y superarse en busca de niveles cada vez mayores, en todas las actividades, en todos los campos del saber y del actuar con eficiencia. Como el estudiante del ejemplo pequeño, si aprovechan bien su tiempo, ello les representará un progreso cada vez más sólido, más elevado, más noble y poderoso, a medida que vayan subiendo los peldaños de la simbólica «escala de Jacob». Si cumplen a la perfección un «programa de estudios» (valga la expresión), pueden pasar a otro programa superior, como el alumno que aprobó sus exámenes. Pero si ha fallado en algunos puntos, o en todos, tendrá que repetir tantas veces como sea necesario, porque en esa «Escuela de la Vida» que es el Cosmos no se puede engañar ni escudarse en «padrinos» o en «varas» complacientes. Cada uno es el único responsable de su triunfo o su fracaso...

La reencarnación

Hemos visto que, según la «Ley Cósmica de la Evolución Progresiva», todos los mundos y todos sus habitantes marchan por aquella «senda» o proceso de superación, a través de constantes mutaciones, cambios y depuraciones, hacia la meta de la Perfección. Esto es un axioma cósmico. Pero el primer obstáculo que se le presenta al profano para entender tal proceso es su creencia en que sólo se vive un vez. La dificultad radica en el desconocimiento de lo que podríamos llamar la «mecánica» de ese proceso. Es natural el escepticismo en quienes ignoran cómo estamos formados todos los seres humanos, y cuáles son los medios que la Naturaleza emplea para realizar tan magno y sapientísimo trabajo.

Comencemos por describir elementalmente la conformación integral del sujeto evolucionante. Para ello tenemos que partir de la base fundamental, ampliamente explicada por la metafísica y la psicofísica del Cosmos, que toda entidad viviente, para poder actuar eficazmente en determinado plano de la Naturaleza o mundo, requiere de un cuerpo construido con el tipo de materia correspondiente a ese mundo. En nuestro mundo, la Tierra, tenemos el cuerpo físico visible y tangible; pero el espíritu, que pertenece a un tipo de mundo o plano muy distinto y superior (porque entre aquel y el nuestro existen más de siete dimensiones, cada una de ellas conformada por diferentes grados o tipos de sustancia) no puede actuar en el plano físico inferior si no posee todos los cuerpos que, escalonadamente, le permitan desenvolverse con toda eficacia a través de tal gradación de planos, entre el suyo y el de la materia física por nosotros conocida. Como esto resulta bastante complicado para quienes no estén suficientemente versados en el tema, simplificaremos la exposición agrupando toda esa serie de cuerpos, de los que sólo son visibles para nuestros sentidos el más bajo o de primer plano –el de carne y hueso como lo llama el vulgo–, y en cierta manera, en condiciones especiales, el segundo –o cuerpo etérico–. Este es una reproducción exacta de todos los órganos o partes que forman nuestro cuerpo visible, pero constituido por materia de tipo mucho menos densa, algo así como la materia de que están formadas todas las ondas que se utilizan para la radio, televisión, radar, etc. No las vemos, pero sabemos que existen y las evidenciamos y utilizamos en diferentes usos. Asimismo, el cuerpo etérico puede mostrarse de maneras diferentes y hasta llega a ser visible, por algunos con cierto adiestramiento de la vista, como una sutil fosforescencia en la oscuridad. Su misión es captar las diferentes formas de energías cósmicas y solar, vivificando todo nuestro sistema celular, el cual es impregnado a través de la constitución molecular de todos los órganos y de todos los tejidos, fluidos y demás que integran el cuerpo físico visible. Todos habrán sentido alguna vez el común fenómeno de adormecimiento de un miembro. «Se me ha dormido la mano o el pie» –decimos– al notar ese órgano pesado, insensible, paralizado momentáneamente. Ello se debe a que, de momento, el cuerpo etérico se ha separado en esa región del cuerpo físico. Esto es también la base de la anestesia, ya sea por medios químicos, magnéticos o psíquicos, los cuales al separar al etérico de alguna porción de nuestro organismo, o totalmente en el sistema nervioso, alejan toda sensibilidad.

Este cuerpo etérico también es conocido como «cuerpo vital» pues vitaliza permanentemente al físico al absorber y transformar las energías ya mencionadas, canalizándolas hacia todos los órganos del mismo. Y además sirve de puente o enlace con el inmediato cuerpo superior, en ese entrelazamiento o compenetración magistral de todos los elementos, cuerpos o vehículos de vida y de inteligencia, que permiten al espíritu participar del conocimiento y de la actividad de los diferentes planos de existencia entre su mundo y el de la materia inferior. Aquel otro elemento cósmico, o vehículo intermedio, es quizá uno de los más importantes del conjunto: se trata del alma. Para los profanos resultará muy confuso todo esto. La mayoría de la gente confunde «alma» con «espíritu». Son dos cosas o elementos diferentes. Al espíritu es mejor llamarlo «Ego» (del latín) o «Yo». Es el «Yo Supremo», consciente, inmortal. El que actúa, estudia y aprende. El que decide y adquiere para siempre toda la experiencia de su peregrinaje por la Senda de la Vida. Porque todos los conocimientos que se aprenden, en todos los campos de experimentación, planos o mundos, y en todas las materias y sus diferentes grados, son asimilados por el Ego, quedando grabados en su conciencia para siempre, pues siendo inmortal, al ser una emanación de la Fuente Eterna de la Vida o DIOS, una vez «nacido» o creado, vive perpetuamente, hasta regresar y confundirse en la Eternidad con Su Padre Eterno. Por eso el Espíritu necesita evolucionar, aprender todo lo relacionado con el Universo y con el Cosmos, conocer y experimentar todas las formas de vida, todas las grandes verdades o leyes cósmicas y universales, probar y manejar sabiamente cuantas fuerzas y energías actúan y se mueven en ese conjunto infinito, y de tal suerte, alcanzar la Perfección Suprema, única manera de poder regresar al Seno de Su Padre...

El Alma es solamente uno de los mencionados cuerpos, o vehículos, que sirve de puente o lazo intermedio entre lo que podíamos llamar «el reino del espíritu» o plano del Ego, y el plano de la materia más densa, nuestro mundo. Pero su importancia es muy grande por ser el elemento que, en todo el conjunto constituido por el hombre, regula, dirige y controla todas las emociones, deseos y pasiones del sujeto. Toda la vida emocional, todos los pensamientos, ambiciones, acciones y relaciones del hombre con el ambiente que lo rodea y con sus habitantes –sean éstos otros hombres o seres de reinos inferiores o superiores– son realizados a través de este cuerpo, influidos por él y dominados por la acción del mismo, y de las demás entidades vivientes que se asientan en el plano correspondiente al tipo de sustancia y a las frecuencias vibratorias de ese mundo, sustancias y frecuencias vibratorias que tienen que formar parte del vehículo al ser construido dentro del conjunto integral del ser humano al comenzar una existencia. El alma es conocida con varios nombres entre las distintas escuelas esotéricas. Las escuelas orientales, por lo general, la denominan «cuerpo astral» por ser el centro que más capta las influencias cósmicas de los diferentes sistemas estelares cercanos a nosotros. Otras escuelas como las rosacruces, lo llaman «cuerpo de deseos» o «vehículo emocional», y a su mundo, o plano de la Naturaleza, «Plano Astral», «Mundo del Deseo» o la «Cuarta Dimensión»... Tal cuerpo y su correspondiente plano son –como dijimos– el puente inevitable o lazo ineludible entre el cuerpo físico y su contraparte etérica, y ese otro conjunto superior de vehículos –entre los que se encuentra la Mente y su respectivo plano– que le sirven al Ego para poder manifestarse y actuar en ese peregrinaje periódico en busca de conocimientos y experiencia en su largo viaje por la senda de la vida y de la evolución. Hemos dicho que íbamos a aclarar el concepto sobre la muerte; y en todo este libro sólo nos interesa lo relacionado con la civilización de Ganímedes. Por tanto, no nos ocuparemos de aquel grupo de cuerpos superiores al «astral» o alma, pues con él tenemos suficiente para la explicación que nos interesa desarrollar. Los demás planos y sus correspondientes vehículos en el hombre, podemos agruparlos en torno de la Mente para no complicar más el entendimiento de nuestros lectores con asuntos relacionados con la Vida más allá de la Cuarta Dimensión.

Cuando nace un ser humano en un mundo como la Tierra, tiene en sí mismo toda la serie de vehículos o cuerpos íntegramente compenetrados unos en otros, pues al ser cada uno de diferentes densidades, sus constituciones moleculares, de distinta graduación en sustancia y en frecuencia vibratoria, permite el perfecto y estable acoplamiento y funcionamiento de todo el conjunto, dentro de los niveles que a cada plano le corresponden. Hemos dicho que el Ego no pierde ni olvida nada de lo aprendido en cada existencia. Pero esto se manifiesta únicamente cuando el Ego se encuentra libre de los lazos de todo ese conjunto de cuerpos. Porque cada uno de ellos, por sutiles que sean los superiores, vienen a representar, en cierto modo, una limitación a la plenitud de facultades del espíritu. Y las más fuertes de esas limitaciones las ofrece el cuerpo físico, por la extremada condensación de sus materiales. Es como si un hombre cualquiera tuviese que actuar en un medio ambiente metido en una pesada armadura, o dentro de varias escafandras superpuestas que limitarían grandemente la libertad y ligereza de sus movimientos. Además, al nacer con un cerebro nuevo no puede traer a ese cuerpo nuevo la memoria del pasado, porque el cerebro como si fuera una máquina electrónica, grabadora o computadora, sólo puede saber lo que ha recibido en conocimiento y trabajo durante su existencia. Y ese cerebro no existía en las vidas anteriores, sino otros cerebros que se desintegraron al morir. Y esta es la clave de todo el proceso de la Reencarnación. Como un cuerpo físico no puede alcanzar más que limitados períodos de tiempo, y éstos no bastan para adquirir la sabiduría, no digamos del Cosmos; ni de un solo mundo en su totalidad, no hay otro medio para el Ego que cambiar de cuerpo una vez que el que estaba empleando ya no sirva. El cuerpo físico, igual que toda máquina, se desgasta con el tiempo y el trabajo. Llega a resultar inútil con las enfermedades y la vejez, y su ocupante, el espíritu, se ve forzado a abandonarlo al término de esa existencia, que fue en realidad un «programa de estudios» como hemos visto en el ejemplo anterior de las clases y de los alumnos.

Ha llegado el momento de la partida. Esto es la Muerte. Al paralizarse el funcionamiento de la máquina por fallo de alguna de sus piezas más debilitadas, o por cualquier otra de las muchas causas que pueden intervenir en el deceso, comienza un proceso inverso al que sirvió en la construcción de todo ese conjunto. El cuerpo vital o etérico deja de funcionar y toda la estructura física, al faltarle su energía, entra en un período de desintegración total. El Ego, después de un periodo de más o menos 20 o 30 horas, tiempo en el cual descansa en una situación parecida a un sueño profundo, requerida por la Naturaleza para permitir que el Ego asimile y fije en su memoria perpetua el total de las experiencias pasadas en esa existencia que acaba de terminar, se desprende del cuerpo físico llevando consigo a todos los demás vehículos enlazados a él por el cuerpo astral, o alma. Desde ese momento su actividad se desarrolla en la Cuarta Dimensión. Sin embargo, según haya sido la influencia que la vida en el mundo físico tuviera para él, discurrirá algún tiempo recorriendo los lugares en que solía actuar durante la existencia que acaba de terminar. Este período puede ser más o menos largo, de acuerdo con el grado de evolución alcanzado por el Ego, y generalmente es motivo de gran confusión para el mismo, pues al no tener ya el cuerpo de materia física resulta enteramente invisible, inaudible e intangible para los demás seres encarnados. Pero él, por la visión espiritual que posee, y manteniendo aún toda la gama de los demás cuerpos desde el astral, se ve, se siente, piensa igual como era hasta antes de morir y esto le produce una rarísima impresión de supervivencia, que en los menos adelantados no les permite comprender, al principio, la realidad de su nuevo estado. Al dirigirse a todas las personas con quienes alternara en esa encarnación y no ser percibido por ellas, pasa por una larga serie de situaciones incomprensibles que pueden ser motivo de sufrimiento en mayor o menor grado. Por eso, todas las religiones piden a sus feligreses alejarse de los «lazos de la Materia»; pero son muy pocas las que explican el fenómeno en su positiva realidad. Tal situación, además, es la verdadera explicación de muchos fenómenos telepáticos y apariciones *post mortem*, ya que en ese período el Ego, impulsado por el vehemente deseo de comunicarse con los suyos, consigue muchas veces (aunque no posea todavía la clave para hacerlo) que la sutil materia de su cuerpo astral llegue a condensarse por la fuerza mental que su anhelo está generando en todo el conjunto de cuerpos que todavía lo acompañan, y esa condensación cuando alcanza los límites de la materia física, asume formas visibles y audibles para nuestros sentidos. La aparición y los efectos sonoros son captados por las personas en el plano físico y tal fenómeno explica la presencia y realidad de tantos hechos a los que la humanidad encarnada ha denominado vulgarmente «fantasmas».

Tal materialización puede repetirse y obtenerse voluntariamente cuando el Ego conozca las leyes cósmicas y las fuerzas que en ellas intervienen. Pero en la generalidad de los casos, en los primeros días o meses posteriores al deceso, de ocurrir, obedecen únicamente al tremendo esfuerzo volitivo del Ego por comunicarse con los suyos en la Tierra, y en tales casos resulta un fenómeno fugaz, pues al faltarle el conocimiento y el poder necesarios para su logro consciente, sólo es el efecto de una materialización fortuita ocasionada por un despliegue ciego de las energías que intervienen en aquel proceso.

A medida que corre el tiempo, el Ego, siempre envuelto por el conjunto de sus otros vehículos atados por la fuerza del cuerpo astral, o alma, desarrolla su vida en los dominios de la Cuarta Dimensión, hasta que llegue el momento en que pueda liberarse también de los lazos que lo atan a ese mundo, y partir hacia los mundos superiores. Pero esto lo vamos a explicar en el capítulo siguiente.

CAPÍTULO 11

La vida en la cuarta dimensión

La Cuarta Dimensión –o Mundo del Alma– es un plano de la Naturaleza con sustanciales y subjetivas diferencias respecto a nuestro mundo físico. En un capítulo anterior adelantamos conceptos que permitieran entender principalmente las diferencias de sustancia, o tipo de materia, de que está formado. Ahora trataremos de dar una idea que, sin dejar de ser elemental, permita a los profanos enfocar los principales aspectos de la vida en ese mundo, y poder formarse un concepto más lógico, más comprensible, acerca del magno proceso evolutivo que siguen los espíritus en su largo peregrinaje desde el primitivismo hasta la perfección.

En primer lugar, debemos imaginar un plano o región dividido en varios niveles; pero no son niveles como los que podríamos pensar respecto a un edificio de varios pisos, por ejemplo. No; los niveles de los planos cósmicos no son propiamente posiciones superpuestas en sentido horizontal o vertical a la manera de los diferentes planos o niveles que conocemos en el mundo físico. De ningún modo. Son estados o condiciones distintas en el desarrollo de la materia y de la Energía, o mejor dicho, de la Sustancia Cósmica Primigenia a que nos referimos en la primera parte de este libro, que, según sus graduaciones, secuencias de onda o vibración, y tipo de fuerzas que en ellos se manifiestan, conforman un determinado nivel de vida. Esto no es tan difícil de comprender, si tenemos conocimiento de los diferentes grados en que la materia y sus distintas constituciones moleculares, son ya conocidas en nuestro mundo, y las diferencias de frecuencia y manifestación de energía que conocemos y utilizamos hoy día en la Tierra. Podemos decir más: en el campo de las ondas electromagnéticas tan minuciosamente investigado hoy por nuestros físicos, más allá de las empleadas por la radio, la televisión y todas las que se están utilizando en la moderna electrónica, se encuentra el límite o frontera en que operan esas otras fuerzas, energías, ondas vibratorias correspondientes a la cuarta dimensión. Las que regulan el desenvolvimiento de la clarividencia y la clariaudiencia, que nos abren el conocimiento directo y la comunicación con ese mundo –o plano cósmico– no están muy lejos de las ya conocidas por nosotros que acabamos de enunciar. Esto era la base de investigación del sabio Edison en su afán por lograr el mecanismo adecuado para su evidente manifestación de nuestro plano.

Y de tal suerte, las divisiones o niveles a que nos estamos refiriendo, en ese mundo del Alma, corresponden no a posiciones superpuestas, sino a diferencias de grado en la sustancia o constitución atómica y molecular de los tipos de materia que lo forman, y a la diferencia de vibraciones correspondientes a tales graduaciones. Lo mismo que en nuestro mundo físico, o de la materia más densa y pesada, a mayor densidad sustancial corresponde una menor frecuencia vibratoria. Por eso, los seres humanos con menor evolución, con menor adelanto en los diferentes niveles de la vida, fruto de un estado menos avanzado en la senda del progreso integral o cósmico, presentan características diferentes en su comportamiento, en su capacidad intelectual, mental, moral, psíquica y hasta en su constitución molecular y vibratoria, con otros más adelantados en todos esos conceptos, por la progresiva transmutación de todos los elementos integrantes del conjunto de cuerpos que los forman. Cuanto más vulgar, más torpe, inmoral, impulsivo o defectuoso es un ser en los distintos campos de la vida humana, también su cerebro, su sistema nervioso, toda su constitución molecular, son más groseros, más pesados, más densos, vibran más lentamente, necesitan de estímulos mucho más fuertes y violentos para reaccionar y comprender, son más propicios a las manifestaciones de la vida inferior o animal; y todo ello tiene su efecto directo, su nivel correspondiente en cada uno de los subplanos, o diferentes regiones en que se divide esa cuarta dimensión, ese mundo del alma.

Para su mejor entendimiento, agruparemos en sólo tres niveles o regiones, la variada graduación que se observa en el Plano del Alma: Región Inferior, Región Media y Región Superior. Conste que son nombres que les estamos dando para facilitar su entendimiento, y que en esta división pretendemos abarcar la variadísima graduación de estados en que se encuentran todos los espíritus que viven transitoriamente en ese plano cósmico.

Cuando el Ego ingresa en él, por causa de su definitiva separación del cuerpo físico, (ya hemos dicho que también puede ser conocido y visitado en vida del cuerpo físico, dentro de condiciones de una especial preparación, esotérica e iniciática) lo hace, siempre, por la Región Inferior. Esta es lo que en la religión cristiana se denomina «El Purgatorio», y en las religiones indostánicas llaman «Kamaloka». Es la morada en que se encuentran las fuerzas más negativas de la vida. Los más bajos instintos, las más denigrantes pasiones, los más torpes, feroces y abominables apetitos; las formas de pensamiento más abyectas y absurdas tienen su sede allí. Y los seres humanos, o Egos, que por esa región pasen, o tengan que permanecer en ella, se ven obligados a alternar con lo más inmundo de nuestra humanidad al mismo tiempo que con los más bajos espíritus de la naturaleza, monstruosas entidades cuya repugnancia y maldad corren parejas e incluso superan lo más horripilante de nuestra Tierra...

Una de las leyes del Cosmos, la de la Afinidad, o sea, la que impele y une a todo lo semejante, basada igualmente en la recíproca atracción de similares condiciones moleculares y vibratorias, tiene allí la más evidente y objetiva manifestación. Un Ego que no haya logrado alcanzar niveles de superación o vida superiores a los que reinan en tal región, empieza a sufrir los efectos causados por todas las acciones delictivas, por todos los variados fenómenos de su vida de errores. Y en ese plano de existencia nadie se puede sustraer, ni esquivar, ni esconder. Desde el momento en que se penetra en la Cuarta Dimensión --ya lo dijimos-- todo es visible, evidente en grado sumo, y nadie puede impedir que se manifiesten las consecuencias del mal generadas en el mundo físico, a manera de reflejos permanentes de potencia multiplicada por las nuevas condiciones ambientales, que siguen actuando en ese plano en el mismo sentido en que el Ego las ejerciera contra otros en la Tierra, pero en dirección contraria, o sea, contra el mismo autor de los delitos, de los errores o desequilibrios de orden moral, material o cósmico, ocasionados por el Ego. Según sea mayor o menor la gravedad de los mismos, mayor o menor será la intensidad con que el Ego sufre esos efectos. Pero debe tenerse en cuenta que siendo un mundo conformado por sustancia y fuerzas más sutiles que las nuestras, en el mundo físico, del mismo modo son mayores y más intensas las repercusiones generadas por el hecho realizado en nuestro mundo inferior, por ser mucho más fuertes, más rápidas y potentes en ese medio ambiente, las energías vibratorias que lo mueven.

No vamos a entrar en mayores detalles, porque nos apartaríamos del tema principal de este trabajo, y, además, volveremos a ocuparnos de este asunto cuando tratemos lo referente a la religión en Ganímedes. Bástenos saber, por ahora, que el Ego se ve obligado a permanecer en aquella región inferior todo el tiempo que su mayor o menor culpabilidad o atraso en la escala de la vida, requieran para depurar las consecuencias malsanas de ese atraso. Como todo evoluciona hacia niveles superiores, los lazos o fuerzas que lo atan a ese medio ambiente, van atenuándose progresivamente. Además, no está solo. En toda la Cuarta Dimensión, como en todos los planos superiores, actúan constantemente diversas jerarquías de seres superhumanos: aquellos espíritus superiores, custodios y guías de la Evolución a quienes las religiones cristiana y judía llaman «ángeles» en sus diferentes posiciones o niveles. Hemos dicho también que la libertad absoluta y el libre albedrío sólo operan en los planos de prueba, en este caso, el plano físico. A partir de la cuarta dimensión, el control y la supervisión de entidades superiores, maestros, conductores o vigilantes, es permanente y adecuada al estado de superación de cada espíritu. Aquellas entidades superiores pueden discurrir por los diferentes planos cósmicos, según las limitaciones correspondientes a su mayor o menor jerarquía, sin verse afectados por las condiciones reinantes, pues su mayor adelanto, sabiduría y poder les proporcionan los medios adecuados para dominar todas las condiciones inferiores. Esto se manifiesta ostensiblemente desde la cuarta dimensión, en un aura o envoltura radiante, luminosa, cuyos destellos y potencia lumínica están en relación directa con el grado de adelanto a que han llegado, y por ende al poder que detentan. Algo de esto tiene relación con las aureolas con que en la Tierra se representa a los santos. Y los mencionados seres son los encargados de ayudar a los egos en su peregrinación, y enseñarlos a subir a niveles superiores, cuando el período de depuración, o paso por el «purgatorio» va llegando a su fin. El espíritu sube así, poco a poco, a los distintos grados de la Región Media, o del tipo de humanidad que ya desarrolló una vida más normal, equilibrada y con menos errores. Y de tal modo el Ego sigue avanzando, en tiempos que dependen exclusivamente de sus propios esfuerzos y mejores intenciones, hasta llegar a los niveles superiores de la tercera región, donde se encuentran los egos cuyas almas alcanzaron, en existencias terrenas, los más puros y bellos aspectos de la vida humana. Hasta esta región, el espíritu sigue atado a todos sus vehículos superiores por los lazos del cuerpo astral, el alma. Y como la mente es uno de aquellos cuerpos, superior al astral, sigue aprendiendo y asimilando enseñanzas y experiencias en todo ese trayecto, más o menos duradero, por el mundo psíquico o del alma.

Cuando se han eliminado las últimas impurezas, las fuerzas que lo retenían en el plano astral desaparecen, el cuerpo astral se desintegra, y el espíritu, libre ya de sus lazos y de la sustancia inferior de ese vehículo, puede pasar a los mundos superiores, por las «puertas» del Mental. Desde este momento se abre para el Ego una etapa brillantísima, de paz y felicidad, en cuyo descanso, como las vacaciones en el ejemplo de los alumnos de la Tierra, puede valorizar toda la labor realizada en la última existencia y en las anteriores, porque en esas condiciones puede memorizar, contemplar y aquilatar los resultados de toda su evolución. Y del balance que hace resulta la comprobación de resultados. Si ha tenido una larga evolución y ha aprendido cuanto en la Tierra es posible conocer y experimentar, se le mostrarán nuevos campos de experimentación y de prueba. Otros tantos mundos, superiores a la Tierra, en donde pueda continuar trabajando para aumentar su sabiduría, su moral y su poder. Pero si su adelanto, aprovechamiento, desarrollo y nivel evolutivo generales no son todavía suficientes, tendrá que volver a la Tierra, para vivir en condiciones que le permitan adquirir las nuevas lecciones, pasar por las pruebas necesarias, saldar las cuentas que, en los niveles cósmicos de la vida hayan quedado pendientes, pagando en situaciones parecidas por todos los errores, delitos o faltas de cualquier orden que hubiere cometido y que, sufriéndolos en sí mismo, le enseñarán a tomar conciencia del verdadero error, conciencia que una vez impresa indeleblemente en la memoria cósmica del Ego, llega a constituir norma de conducta permanente en las vidas sucesivas.

Apreciado todo esto por el Ego, llega el momento de preparar su regreso a la Materia, al mundo físico. Ayudado por sus Guías

Superiores planea todo un nuevo programa de existencia y las entidades encargadas de su ejecución van elaborando todos los requisitos necesarios. Todos los detalles de la nueva encarnación son estudiados y creados prolijamente. Desde la clase de hogar en que nacerá, los padres que ha de tener, el lugar y país, la educación que deberá recibir, las relaciones que lo rodeen... Todos los detalles de la nueva existencia, hasta las pruebas que ha de vencer, accidentes, enfermedades y cuanto pueda servirle para nuevas y útiles experiencias, forman ese plan de la nueva encarnación. Y así preparado, se inicia el viaje de vuelta, pasando otra vez por todos los planos intermedios, en cada uno de los cuales irá recibiendo la envoltura o cuerpo respectivo, hasta su ingreso en el nuevo cuerpo físico, el que será adecuado a las nuevas actividades que su propietario o conductor necesita.

Pero en su nuevo tránsito por la Cuarta Dimensión, esta vez como observador, o estudioso espectador, mientras le «impregnan» o construyen su nueva alma, tiene oportunidad de apreciar las tremendas fuerzas positivas y negativas que en ese mundo se mueven, y sus influencias y efectos en el mundo físico. Del mayor o menor impacto de esta nueva experiencia, y de la forma como logre imprimirla en su conciencia de espíritu, dependerá mucho el temple con que más tarde afronte las pruebas en que tales fuerzas actúen sobre él. Lo que llamamos tentación no es sino el influjo de aquellas fuerzas provenientes de los distintos niveles inferiores del astral. Y lo que conocemos o denominamos «la conciencia», es la voz interior del Ego que, en memoria de las pruebas y experiencias pasadas, trata de hacerse oír a través de la maraña de cuerpos que lo envuelven. Si ese recuerdo ha sido lo suficientemente evolucionado y fuerte para imponerse y vencer, se evitarán nuevos errores como los ya cometidos otras veces. Así va superando el Ego, poco a poco, la ignorancia, el error y la maldad, que no es sino el fruto de la ignorancia de todo esto. Superando sus debilidades, sus defectos, sus pasiones y sus vicios; fortaleciendo sus aptitudes positivas, todas sus cualidades y virtudes, va dejando atrás, en el tiempo, la figura endeble y negativa de sus primeras encarnaciones, hasta llegar a niveles en que la cercanía a la superación terrena le abren las puertas de mundos habitados por humanidades más avanzadas y perfectas. En nuestro sistema solar, como en todos los demás sistemas planetarios, existe una gran variedad de mundos habitados por diferentes niveles de vida inteligente. Entre nosotros, por el momento, que nos basten como ejemplo la Tierra y Ganímedes...

Tercera Parte

LA CIVILIZACIÓN DE GANÍMEDES

CAPÍTULO 12

La cultura y la moral en ese mundo

Con todo lo expuesto en la segunda parte de esta obra, podrá el lector comprender más fácilmente las profundas y notables diferencias que separan nuestra civilización de aquella raza de superhombres. Muchas de tales diferencias obedecen, en realidad, a la posesión por ellos de ese sexto sentido que hemos venido explicando. La clarividencia y clariaudiencia –innatas en todos los habitantes de Ganímedes– han permitido el logro de adelantos sorprendentes en infinidad de aspectos de la vida en su astro, y sus favorables influencias regulan y fundamentan métodos, sistemas e instituciones en el amplio panorama de la convivencia y desarrollo de todas las actividades en aquel interesante satélite de Júpiter.

Las ventajas derivadas de tal estado evolutivo, alcanzado por ellos a través de los muchos milenios que nos llevan de adelanto, se manifiestan en todos los aspectos de su vida desde la más tierna infancia. A este respecto, es triste comparar cómo transcurren los años para nuestros niños y los de Ganímedes. Mientras aquí, especialmente en los últimos tiempos, estamos envenenando el alma infantil de nuestros hijos, con espectáculos de cine, televisión y otros, que en su mayoría no muestran sino la barbarie de las guerras, la violencia y el crimen de argumentos policiales, las groseras costumbres y los brutales métodos siempre encaminados al delito, de los dramas tipo western norteamericanos; y para sus juegos y distracción les proporcionamos juguetes y artefactos que representan las armas asesinas y toda clase de aparatos más o menos enfocados al afán de destrucción. Mientras en la gran mayoría de los hogares populares, en todo el planeta, los ejemplos que esos niños contemplan son casi siempre de vicio, de bajeza moral y de violencia; y en otros hogares, de condición social y económica más elevadas, muchas veces encuentran el abandono de sus progenitores, preocupados por una serie de compromisos, intereses, frívolas vanidades o secretos vicios y contubernios...

¿Qué podemos esperar de criaturas educadas de tal forma? ¿Hemos de culparlos a ellos por el mal que después hagan? ¿No somos nosotros, sus padres y maestros, los que deformamos esas almas tiernas, con nuestro proceder, nuestra torpeza o egoísmo, nuestra inconsciente frivolidad o la satisfacción criminal de vicios y aberraciones, muchas veces ocultos pero no por eso menos malignos?... No quiero seguir adelante con tan vergonzoso panorama. Todos sabemos muy bien cómo es nuestra humanidad y cómo se vive en la Tierra...

En cambio, esa raza que habita Ganímedes, contempla desde la cuna los más bellos y amorosos ejemplos; hasta en sus juegos y distracciones infantiles están presentes valiosas enseñanzas, útiles demostraciones de lo que es el mundo que los rodea y cómo aprovechar más tarde las lecciones que jugando han aprendido. El hecho de ser clarividentes y clariaudientes desde que nacen, les permite avanzar con mucha mayor rapidez en su desarrollo cultural. Y en los primeros siete años de su vida, muchos de sus juegos y variadas formas de distraerles, son empleados por los padres como complementos de un amplio, sabio y paulatino método de enseñanza y de instrucción. Daremos algunas muestras que ilustren mejor este punto:

Siendo poseedores de aquel sexto sentido, su visión y audición abarcan, al mismo tiempo, su mundo físico, la porción etérica, y la cuarta dimensión. De esa manera, una de las primeras preocupaciones de los padres es la de explicar pacientemente el papel de cada uno de los seis sentidos (porque el séptimo sólo se desarrolla en ellos al llegar a la edad adulta) y muy especialmente cuanto se relaciona con el sexto. Porque, igual a nuestras escuelas iniciáticas, la variedad de aspectos, fuerzas y formas, en constante movimiento y continua mutación, en ese mundo astral o cuarta dimensión, es fácil ocasionar terribles confusiones, peligrosas reacciones de orden psíquico y mental y hasta daños en el organismo fisiológico. Así los niños de Ganímedes aprenden desde la más tierna infancia a utilizar aquel «tercer ojo», a identificar fuerzas y seres de ese plano astral o del alma, y a diferenciar las causas y efectos de esa cuarta dimensión en sus relaciones con el mundo físico. Este adiestramiento paulatino, con un instrumento de tal poder, los coloca en situación de adelantar rápidamente en el conocimiento de todas las materias básicas de su primera instrucción, y permite a los padres educar a sus hijos con métodos altamente objetivos, pues la enseñanza va unida a la práctica, la que es facilitada en todo momento y todas las circunstancias por aquel sexto sentido.

Hemos dicho que muchos de los juegos son también provechosas lecciones. Lo comprenderemos mejor con un ejemplo: entre la multitud de seres que pueblan la cuarta dimensión, están las diferentes categorías y especies de «Espíritus de la Naturaleza» como ya se ha mencionado. Muchos de ellos asumen formas bellísimas y son accesibles al ser humano, cuando éste les demuestra su bondad y simpatía. Para darnos una idea de algunos de esos seres, recordemos una de las más hermosas y profundas películas de Walt Disney: «Fantasía». Los que la hayan visto recordarán algunas escenas, como las de las flores en que brotaban diminutas hadas, luminosas, gráciles, con rápidos y armoniosos movimientos en una danza maravillosa, al compás de las dulces melodías, en un conjunto esplendoroso de luz, de gracia y de belleza. Para quienes conocemos estas cosas, esa obra de Walt Disney no fue sólo fantasía, como parece indicar su nombre: Walt Disney tuvo estudios rosacruces, sabía el fondo oculto de lo que estaba haciendo, y esas escenas son iguales a lo que el sexto sentido nos descubre cuando visitamos muchos prados...

Los niños de Ganímedes, en tales condiciones, con su pureza y bondad atraen la simpatía de esos seres y juegan con ellos a menudo, aprendiendo a tratarlos, ganando su amistad y preparando así el camino que más tarde, cuando llegan a mayores, les permite utilizar todas las fuerzas de la Naturaleza, porque esas fuerzas en la cuarta dimensión asumen las más variadas formas, pero están siempre dispuestas a obedecer, como fieles servidores, a quienes las conocen y poseen el poder y la sabiduría necesarias para su manejo. Esto explica ahora con mayor claridad aquel pasaje de la segunda parte en que nos referimos al episodio bíblico en que los vientos y el mar obedecieron la orden de calmarse, impartida por la divina y poderosa voz de Cristo...

La educación de los niños, y los métodos y sistemas de instrucción en ese mundo, ofrecen marcadas diferencias con los nuestros. En primer lugar, entre ellos no existe, propiamente, la primera etapa escolar conocida en la Tierra con varios nombres: primaria, básica, academia, etc. Esta fase inicial de la instrucción general corre a cargo de los padres, directamente, en forma combinada con la educación familiar, a fin de impartir los conocimientos básicos al niño al mismo tiempo que se moldea su alma y su mente. Este período, por lo común, dura hasta una edad de siete a ocho años de los nuestros, en que el hijo se encuentra por completo en las manos de sus progenitores, siendo éstos sus primeros maestros. Mayormente esta labor es realizada por la madre, interviniendo el padre en las horas que su trabajo diario le permitan. Debe tenerse en cuenta que en Ganímedes no existe un solo analfabeto ni un ignorante. Esto no es concebible allí. Hombres y mujeres reciben la misma instrucción, alcanzan los mismos niveles culturales, sin distinciones de ninguna clase, y sin costo alguno para ellos, pues todo es proporcionado por el Estado, según veremos después. Hombres y mujeres trabajan por igual en todas las actividades de ese mundo. Pero cuando una mujer es madre, se le concede el cuidar y enseñar al hijo hasta el término de esa primera etapa básica de instrucción, disponiendo de todos los recursos que el Estado le proporciona, como si estuviera desempeñando su labor cotidiana, porque en ese período se convierte en maestra-madre de un nuevo ser cuya moral, inteligencia y desarrollo previos merecen de todos el más prolijo cuidado. Siendo esmeradísima y de una amplitud que en la Tierra no alcanzamos la educación que todos los habitantes de ese mundo reciben, es fácil comprender este aspecto en el que los padres, en especial la madre, son los primeros profesores, en el largo recorrido cultural de esa raza. Y los métodos de enseñanza, particularmente en esa primera etapa, son eminentemente prácticos y directos. Para ello el sexto sentido ofrece incalculables ventajas. Los niños aprenden jugando. Muchos de sus pasatiempos son otras tantas lecciones que la madre aprovecha para instruirlos. Así por ejemplo, todo lo relacionado con la anatomía, la fisiología, el funcionamiento general de todos los órganos internos, de los sistemas digestivo, circulatorio, nervioso, respiratorio; de los complicados mecanismos y funciones cerebrales, glandulares u otros, al poder ser vistos y apreciados con toda claridad y en cualquier momento, constituyen un motivo de entretenimiento para ellos, a la par que utilísimas lecciones que jamás se olvidan y que vienen a ser la base para estudios superiores, que, más tarde, convertirán a esos hombres en los propios cuidadores de su salud, o en médicos especializados capaces de realizar verdaderos milagros en comparación con nuestra medicina terrestre.

Así sucede en todo lo demás. Una forma común y general de aprovechar los días de descanso, que allá equivalen a dos y medio de los nuestros, son los paseos campestres y los viajes de placer. En ellos toma parte toda la familia, constituida casi siempre por los padres, uno o dos hijos, pues la descendencia es cuidadosamente controlada, según veremos después, y los abuelos si es que viven con ese hijo o hija. Cuando se trata de un simple paseo por zonas cercanas a la ciudad de residencia, el grupo familiar utiliza vehículos colectivos de transporte. Para estos casos emplean naves aéreas con capacidad hasta de veinte pasajeros, que hacen el trayecto a los lugares de destino en pocos minutos. Cuando el plan de esparcimiento contempla un viaje de placer y de descanso, a mayores distancias, suelen emplear naves del mismo tipo con capacidad para cincuenta personas. Tales viajes, por lo general, los llevan a visitar otros valles o centros poblados, pues se debe recordar lo que explicamos en la segunda parte, o sea que todas las urbes o poblaciones están concentradas en los miles de valles diseminados entre las estribaciones de esa intrincada red de cordilleras y montañas que cubre todo el astro. La velocidad de sus naves aéreas les permite hacer tales viajes a los más apartados lugares de Ganímedes en cortísimo tiempo. Y así puede disfrutar la familia de los dos días íntegros en su paseo. Esto permite a todos, especialmente a los niños, conocer y aprender objetivamente cuanto se refiera a lo que, en nuestro lenguaje, llamamos la geografía, puesto que esa palabra, derivada del griego, se refiere entre nosotros a la Tierra, y ellos dan a su mundo el nombre de «Reino de Munt»...

Con este método y dentro de tal sistema de educación, a la edad correspondiente a nuestros siete u ocho años, esos niños han aprendido, de forma indeleble, todos los conocimientos básicos sobre su mundo, su naturaleza, sus formas de vida y han asimilado también una serie de lecciones sobre la moral y las normas de conducta que habrán de observar en el resto de su vida, confirmadas con los ejemplos que la convivencia familiar les proporcionan a cada paso. Porque entre esa raza, el amor, el respeto a los padres y mayores, a la sabiduría y autoridad de sus maestros y gobernantes, como base de la síntesis magistral de todos los más altos atributos del alma, y preparación para el entendimiento de las grandes verdades cósmicas, se aprenden y se inculcan desde la cuna.

Cuando se llega a esa edad, todos –hombres y mujeres– ingresan en lo que se llama entre ellos «La Shamata». Este es un período que alcanza hasta los quince años. En esa etapa los alumnos reciben instrucción general enfocada a definir las cualidades y aptitudes especiales de cada uno, y desarrollarlas en el sentido más conveniente. Esto se logra, comúnmente, a la mitad de ese lapso de tiempo: el resto de esa etapa es dirigido hacia una instrucción especializada preparatoria, que aproveche las condiciones particulares de cada sujeto, estimulándolas y desarrollándolas, para conseguir el mejor desenvolvimiento de su personalidad y el afianzamiento de sus aptitudes predominantes, a fin de encauzarlo por la senda más adecuada en el futuro desempeño de sus actividades. Tanto en la etapa «Shamática» como en las posteriores, toda la instrucción es impartida en centros estatales enteramente gratuitos y bajo la dirección de maestros especializados, igualmente dependientes del Estado.

Al término de esta segunda fase de la enseñanza, todos los alumnos sin excepción ingresan en los diferentes centros de instrucción altamente especializada, según las cualidades y aptitudes demostradas por cada uno en la etapa anterior. En los mencionados centros se les capacita para el más eficiente desempeño del tipo de actividad escogida, y no salen de él hasta no alcanzar la más alta calificación. Obtenido este resultado llega para ellos, sin discriminación de ninguna clase, el momento quizás más anhelado por todos: el despertar del séptimo sentido. Esto se consigue dentro de un período en el que se someten a un adiestramiento especial y muy riguroso, en centros o institutos exclusivamente dedicados a ello, que requieren la permanencia constante de todos los educandos a manera de internado, algo parecido a los lamasterios del Tíbet o de la India entre nosotros, en los cuales reciben la enseñanza y la práctica de ejercicios adecuados en medio de la más estricta disciplina. Esto se comprende fácilmente si recordamos lo que al principio se dijo sobre tal sentido: es el «Verbo Creador» la facultad de influir por el lenguaje, o la emisión de ondas sonoras de la voz, en la constitución molecular de la materia, en las vibraciones de la misma, y por ende el poder de actuar voluntariamente sobre la «Nota Clave» de todos los cuerpos, de todas las sustancias, influyendo y hasta dominando, en muchos casos, las mismas fuerzas de la Naturaleza... Recordemos que en las partes precedentes de esta obra hemos hecho referencia a varios ejemplos históricos y bíblicos, tales como el famoso caso de la desintegración de las murallas de Jericó por el efecto de las ondas sonoras de las trompetas israelitas dirigidas por Josué; algunos de los efectos producidos en el caso de la destrucción de Sodoma y Gomorra sobre el cuerpo de la mujer de Lot; varios de los prodigios realizados por Cristo que ya hemos mencionado anteriormente...

Y un poder así no es posible conferirlo a quien no haya demostrado, hasta la saciedad, una fortaleza moral a toda prueba y una inteligencia capaz de impedirle cometer el más mínimo error... Por eso, durante todos los años de su preparación cultural y científica, profesional o técnica, los integrantes de esa raza superior, están sometidos a una disciplina y a una modelación cuidadosa del carácter, de la voluntad y el pensamiento, enfocadas hacia la máxima superación moral, intelectual y mental de todos y cada uno de ellos, Especialmente es la base moral, sobre la que sustentan particularmente la estructuración total de su civilización.

Antes de estudiar algunos aspectos relativos a este campo, deseamos mencionar un detalle muy interesante con respecto al sistema de enseñanza en ese mundo. La instrucción se imparte casi siempre por métodos teórico-prácticos simultáneos. Es lógico que en esto influya también el sexto sentido. Y en Ganímedes no existen libros ni escritos de ninguna clase como lo que nosotros conocemos y empleamos. Es natural que así sea. En un mundo en el que el lenguaje hablado ya no se usa, por ser mucho más fácil, más rápido y efectivo el comunicarse directa e instantáneamente por el lenguaje mental, por la lectura simultánea y recíproca del pensamiento, no tendría tampoco razón de ser el lenguaje escrito. Este es reemplazado por un admirable sistema electrónico susceptible de captar el pensamiento y grabarlo en cintas especiales, indelebles una vez grabadas, que lo reproducen en toda su amplitud, en imágenes y frecuencias de onda que son proyectadas en aparatos receptores que nos recuerdan, en cierta forma, a nuestras máquinas filmadoras. Así pueden retenerse las lecciones, y cuanto material merezca ser conservado para su reproducción futura. Y esas máquinas son construidas hasta en tamaños portátiles. Del mismo modo, los documentos oficiales y administrativos vienen a ser esas livianas y pequeñas cintas, en las cuales, junto con lo que llamaríamos el texto, a manera de firma y sello identificadores, va impresa la imagen del autor, dictando el cierre de los mismos. Y ya hemos dicho que, a diferencia de nuestras cintas magnetofónicas, o nuestras películas sonoro-visuales, aquéllas graban para siempre el pensamiento completo, sin que se pueda alterar en nada el contenido, posteriormente, lo que implicaría la destrucción total de la cinta.

Por lo demás, nadie se atrevería ni a pensar en alterar un documento, cosa tan común entre nosotros... Ha llegado la oportunidad de referirnos a la moral reinante en esa raza, base fundamental, como se ha dicho, de la civilización de Ganímedes.

Al describir la cuarta dimensión y cómo se desarrolla la vida en ese Plano del Cosmos, percibimos las tremendas fuerzas positivas y negativas que en él actúan. Y vimos también la poderosa influencia que constantemente ejercen en el alma humana. Parecerá redundante que digamos «alma humana», pero no es tal. Aunque no tiene mayor importancia para esta obra, estamos obligados a explicar, de paso, que lo hacemos por el conocimiento de que los animales, en mundos en que existen como el nuestro, también poseen alma, o sea aquel vehículo correspondiente a la cuarta dimensión, y son susceptibles de muchas de aquellas influencias anotadas.

Al mismo tiempo, mencionamos el papel de las diferentes categorías de seres o entidades superiores, y cómo se relacionan con los Egos en su continua evolución. Recordaremos que se dijo que nadie puede pasar de un mundo inferior a otro superior sin estar debidamente preparado y poseer el vehículo o cuerpo correspondiente, es decir, sin haber alcanzado las condiciones evolutivas y vibratorias adecuadas. Este es uno de los factores que relativamente garantizan en Ganímedes, o en cualquier otro mundo similar, el ingreso o intromisión como si dijéramos clandestinamente, de algún Ego no capacitado para ello. Pero en lo que respecta a las entidades astrales y a las fuerzas de esa cuarta dimensión, es diferente. Ellas actúan en su mundo, y en su mundo o plano pueden afectar a cualquier ser humano encarnado, pues la encarnación presupone la existencia en un mundo material, aun cuando éste sea del tipo de Ganímedes, o «Reino de Munt» como ellos lo llaman.

De esa manera, gran parte de la enseñanza, disciplina y cuidados que reciben todos sus habitantes, están encaminados a conseguir la permanente seguridad y el perfecto equilibrio de su alma, en los niveles más altos de conciencia. En esto les ayuda eficazmente su sexto sentido, que en todo momento les permite descubrir la cercanía de cualquier entidad baja o maligna, pudiendo alejarla con la fuerza de su mente o, si fuera preciso, con el poder del séptimo sentido. Hemos dicho que éste sólo es desarrollado cuando finaliza la etapa de instrucción superior. Esto nunca tiene lugar antes de los veintiocho o treinta años. Nos referimos al despertar del sentido mencionado. Aun así, puede mantenerse dicha facultad en un estado latente de mediana expresión, cuando a juicio de los maestros responsables de ese trabajo, el aspirante no alcance todavía las máximas condiciones requeridas para el pleno uso de tan formidable poder.

Por todo ello en esa raza viven una vida de paz, de absoluta serenidad, bondad y amor... ¿Quién podría pensar en mentir, engañar, traicionar o estafar a alguien, si los más recónditos pensamientos e intenciones se están leyendo mutuamente? ¿Cómo puede cometerse algún delito cuando nada queda oculto ante la clarividencia y clariaudiencia de todos? ¿Cómo podrían caer en las pasiones comunes entre nosotros, si para llegar a ese estado han tenido que sufrir las pruebas de cientos de encarnaciones previas, que han forjado en ellos no sólo una sólida conciencia con el conocimiento total de su larga evolución, sino el más amplio y poderoso dominio de todo ese mundo astral en que se desenvuelve entonces su alma?... Es así como su reino resulta la expresión viva de todas las más bellas cualidades concebibles en el alma humana. Y esto se manifiesta en la familia, en el trabajo, en las relaciones de unos y otros y, por ende, en toda la organización social, política, económica o religiosa de ese mundo en que no hay fronteras, ni ejércitos ni policía, como vamos a ver en los próximos capítulos de esta obra.

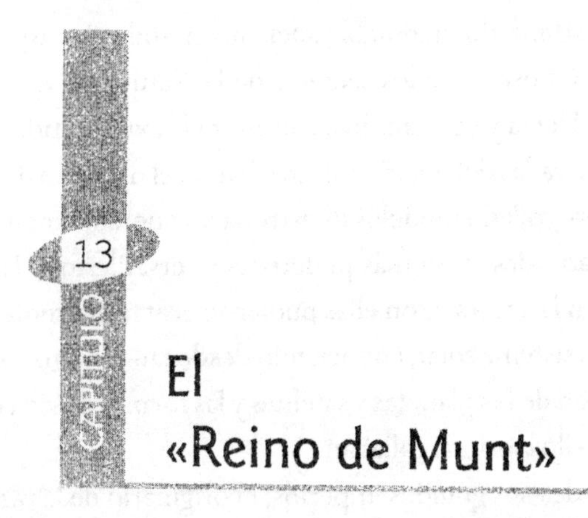

CAPÍTULO 13

El «Reino de Munt»

Su organización política, social y económica

Hemos visto que la humanidad establecida en el satélite del planeta Júpiter conocido por nosotros con el nombre de Ganímedes, denomina a su morada sideral como «REINO DE MUNT». Consideramos interesante saber el origen de tal nombre, porque también contribuye, en cierta forma, al conocimiento del pasado de esa raza y a la comprobación del desarrollo evolutivo de la misma, que en algunos aspectos podremos comparar con el de nuestra humanidad.

La tradición histórica de ese pueblo nos refiere que, hace más de diez mil años de los nuestros, cuando todavía existía el Planeta Amarillo al que hemos hecho mención en otros pasajes de esta obra, y que, al desintegrarse, diera lugar al «Cinturón de Asteroides» que hoy gira en torno al Sol entre las órbitas de Marte y Júpiter, los habitantes de aquel planeta se repartían entre los dominios de dos grandes reinos, o imperios, que en el transcurso del tiempo, después de etapas remotísimas en las cuales existieran otras divisiones estatales, o naciones, que en largos períodos de luchas y guerras, llegaron a unificarse en aquellos dos grandes bloques o potencias, las que habiendo alcanzado un notable adelanto en todos los aspectos de su civilización, poseían ya los secretos de la Naturaleza que hoy tenemos en la Tierra y comenzaban a utilizar el sexto sentido y todas las fuerzas derivadas del mismo. Alcanzaban ya el dominio del espacio y habían desarrollado modelos de astronaves que, sin ser tan perfectas como las actuales, eran más poderosas y versátiles que las que hoy tenemos en la Tierra. Con ellas pudieron visitar diferentes mundos en nuestro sistema solar, conociendo desde tan remotos tiempos, la constitución de los planetas y satélites y las formas de vida o existencia que en ellos se desarrollaban.

Uno de esos grandes imperios, el originario de la raza que hoy reside en Ganímedes, era gobernado entonces por un gran rey, llamado Munt, hombre de sabiduría excepcional y notables poderes suprafísicos, quien era asesorado por un consejo de sabios y evolucionados maestros, impartiendo a su pueblo una amorosa y patriarcal dirección. Ambos reinos vivían ya dentro de un equilibrio de fuerzas que dio como resultado una larga etapa de paz y de común entendimiento, porque sabían que su poder y sus formidables medios de ataque ocasionarían la aniquilación total en el problemático suponer de un choque entre ambos.

El Rey Munt, que vivió una existencia equivalente a varios siglos de los nuestros, llegó a conocer con mucha anticipación, el tremendo cataclismo cósmico que se estaba gestando en las entrañas de su planeta. Asesorado por los otros sabios de su elevado Consejo, comprobó en el plano físico y en los otros planos suprafísicos, la exactitud de sus cálculos y sus apreciaciones, llegando a fijar matemáticamente las fechas en que se realizaría el terrible fenómeno. Su extraordinaria longevidad –aún estaba relativamente joven– le permitieron elaborar todos los planes y tomar todas las providencias necesarias para evacuar a los habitantes del Planeta Amarillo antes de la catástrofe. Esta iba a producirse un siglo después. Munt y sus colaboradores inmediatos contaban con tiempo suficiente.

Entre los mundos visitados por ellos en nuestro sistema planetario, fue escogido el gran satélite de Júpiter por su mayor cercanía, por las condiciones ambientales fáciles de acomodar y dominar, por las fuentes inagotables de fuerza y de energía que la sabiduría de esos hombres descubrieron y, también, por encontrarse totalmente deshabitado. En comparación con nuestro planeta, de tamaño mayor pero mucho más lejano, esas dos facetas resultaron decisivas en la elección de un nuevo mundo, una nueva morada para establecerse, en la que su raza pudiera continuar desenvolviéndose con entera libertad y sin los inconvenientes, molestias y riesgos de todo orden, muy en especial en el campo de la supremacía de niveles evolutivos. La distancia mayor y la existencia en la Tierra de aquel entonces de una humanidad tan primitiva y atrasada en todos los niveles de la Vida, fueron de gran importancia para la decisión final que hizo de Ganímedes la nueva morada de esa raza. Debemos pensar que en tan remotas épocas nuestra humanidad se encontraba en la Edad de Piedra...

En los cien años, más o menos de que disponían los hombres de Munt, se trabajó intensamente en los preparativos de la total evacuación. Aquel sabio rey comunicó todo eso a su colega reinante en el otro imperio. La tradición no explica los motivos que influyeron en los hombres de ese otro reino para no hacer caso a las previsiones de Munt. Tal vez una menor sabiduría que les impidiera comprobar por ellos mismos la veracidad de los fenómenos que se gestaban en las entrañas del planeta. ¿Se dejaron, quizá, tentar por la ambición de ser los únicos dominadores de ese mundo? Sólo Dios lo sabe... Así pues, en aquel lapso de un siglo, Munt y su pueblo fueron estableciendo bases en el satélite de Júpiter; acondicionando las primeras zonas elegidas para su posterior establecimiento; construyendo la numerosa flota de astronaves en que evacuarían a la gente y a todos los utensilios y equipos necesarios para el traslado de su civilización al nuevo mundo... Cuando se acercaba la fecha prevista, ya en él estaba trabajando, paciente y disciplinadamente, la mayor parte de los habitantes del reino. Cuenta su tradición que el sabio Munt hizo varios esfuerzos por convencer a los gobernantes del pueblo vecino. En la centuria transcurrida habían fallecido muchos de los principales consejeros antiguos de ese país, y el mismo rey era nuevo. La fraternal y sapientísima intervención de los enviados de Munt no obtuvo mayor crédito. Así llegó el momento en que abandonaron el Planeta Amarillo las últimas escuadras de astronaves, conduciendo el Rey Sabio a todos los altos miembros de su gobierno y a los últimos pobladores de su vieja patria... Reza la tradición que, algún tiempo después, no más de un mes de los nuestros, llegaron hasta ellos algunas astronaves del otro imperio. Conducían a técnicos y pobladores que habían huido, despavoridos, y que explicaban que en ese planeta se estaban produciendo gigantescos terremotos y explosiones volcánicas nunca vistas; que el terror dominaba en todas partes y que la confusión y el pánico eran generales. Así las cosas, un día pudieron contemplar, desde su nuevo mundo, cómo aumentaba desmesuradamente el brillo y la magnitud del lejano planeta. El fenómeno aumentaba, el destello cada vez más grande iba igualando al del sol (fenómeno conocido por nuestros astrónomos como «supernova») y, poco después, llegaba hasta el satélite de Júpiter un sordo rumor que venía del espacio, como el de una remota y extensa tempestad. El espectáculo sideral duró dos días. Al cabo de ellos, aquel resplandor inusitado y aquellos rumores cesaron por completo. El Planeta Amarillo había desaparecido del firmamento. La sabia predicción del Rey Munt acababa de cumplirse...

Refiere nuestro amigo Pepe que los hombres que en Ganímedes lo están reeducando, le manifestaron que aquel sabio rey alcanzó a vivir dos siglos más. En todo ese tiempo se fueron desarrollando las estructuras fundamentales y las instituciones que habrían de transformar el nuevo mundo, sobre la base de las que tenían en el planeta destruido. Y que todo el pueblo decidió denominar a perpetuidad

Reino de Munt a su nueva morada sideral, como homenaje de amor y de respeto hacia el sapientísimo y bondadoso Maestro y Soberano autor de tan magna proeza...

Si recordamos lo explicado en las dos partes anteriores acerca de varias de las visitas de extraterrestres a la Tierra, como los ejemplos del descubrimiento arqueológico en la Pirámide de Palenque del «Hombre de la Máscara de Jade» y de su desconcertante sarcófago; los de las pinturas de las grutas de Tassilli, en el desierto de Sáhara; los referentes al origen celeste atribuido a los primeros emperadores chinos; y todos los otros ya mencionados, y comparamos las fechas con la tradición que hoy nos viene desde ese «Reino de Munt», encontraremos la coincidencia en el tiempo y los detalles, hasta ahora enigmáticos, de todos ellos... ¿Fueron fugitivos del Planeta Amarillo el «Hombre de la Máscara de Jade», Hermes Trismegisto, Zoroastro, los primeros fundadores de la civilización china y algunos otros?... Los hombres de Ganímedes dicen que sí. ¿Podemos nosotros probar lo contrario?... Si no lo podemos probar, tampoco debemos negarlo. Aún más, cuando nos ocupemos de la Religión en ese Reino de Munt, veremos nuevos aspectos y comprobaciones sumamente interesantes acerca de este problema. Ahora, veamos cómo es la organización política, social y económica en ese mundo.

Ya hemos dicho que en él no existen fronteras. Dentro de nuestro lenguaje y según nuestros conceptos, podríamos decir que es una sola nación esparcida por todo un mundo. O, dicho de otra forma, un Estado que abarca a toda la humanidad de ese astro. El Reino de Munt viene a ser como una gran comunidad, verdaderamente fraternal. Algo parecido a lo que fuera, entre nosotros, una comunidad gigantesca de aquellas formadas por las órdenes religiosas. Pero con desarrollo y alcances mucho más vastos. Un Gobierno central, de tipo teocrático, rige los destinos de ese pueblo, formado por una sola raza. Encabezan el gobierno un Soberano reinante y dos Supremos Regentes, asistidos por un Consejo Supremo que integran diez Grandes Consejeros del Reino. Tanto el Rey como sus dos regentes inmediatos son hombres que han alcanzado la plenitud del desarrollo evolutivo a que puede aspirarse en aquel mundo. Su sabiduría y poder, en todos los planos de la vida material como en los de la vida suprafísica, llegan a niveles imposibles de comprender por nosotros en la Tierra. Y eso les permite realizar una labor que, entre nosotros, podría asumir los caracteres de semidivinidad. Pueden trabajar simultáneamente en los diferentes planos de la Naturaleza; ello los faculta para poder comunicarse y actuar en constante e íntimo contacto con todas las fuerzas y entidades de esos Planos, y por tanto, conocer y mantener estrecha relación con todos los Planos Cósmicos emanados y dirigidos desde el reino central de nuestro sistema planetario, el Sol, que, en realidad, es aquel Reino al que se refirió Cristo como «El suyo»... Esto ha de causar asombro y perplejidad; pero este punto lo trataremos cuando nos ocupemos de la Religión en Ganímedes.

No debe extrañar, entonces, que tales gobernantes impartan una dirección de tan suprema sabiduría y eficacia, y que simultáneamente, sus métodos y su conducta sean la manifestación más efectiva y positiva del Amor Universal, pues trabajan con pleno conocimiento y perfecta aplicación de cuanto entraña la Ley Cósmica del Amor, lo cual también explicaremos más adelante, al tratar de la religión.

Dentro de la filosofía, de la doctrina y práctica del gobierno, la trilogía conformada por el soberano y sus dos regentes, recuerda y simboliza la Trinidad de Elementos en el Cosmos: Espíritu, Materia y Energía. El Rey es, al mismo tiempo, Jefe Supremo del Estado y Sumo Sacerdote, o cabeza visible de lo que, entre nosotros, conocemos o entendemos por «Iglesia». La sucesión al trono en el Reino de Munt no es hereditaria ni electiva: se realiza por un estricto y minucioso proceso de selección. En un mundo como ése, esto es posible sin el menor riesgo de error o de injusticia. El Soberano, por sus facultades y poderes especiales, conoce con gran antelación, la época y la fecha en que habrá de desencarnar. Escoge minuciosamente a quienes serán, durante cierto tiempo, sus dos regentes. Esto se hace, siempre, dentro de los demás miembros de su Gran Consejo, los que a su vez, han sido elevados a tan alta posición, a través de muchos años de trabajo y de esmerada selección en escalones sucesivos encargados de la administración general de aquel Estado. Puede pensarse, con la suspicacia y malicia tan extendida en la Tierra, que tal sistema genera favoritismos, acomodos, adulación, postergaciones injustas, intrigas y luchas, rencores, y cuantas formas conocemos de perseguir el favor de los poderosos o para obstaculizar el progreso de un rival... Eso sucede en la Tierra, por nuestro atraso en la Evolución, en el Sendero de la Vida, en este mundo de cinco sentidos y de potente influencia de la Región Inferior del Astral o Cuarta Dimensión... Pero en Ganímedes, o Reino de Munt, todo eso es imposible. Desde las remotísimas edades en que llegaron a alcanzar el sexto sentido, llegó a desarrollarse, entre ellos, el Sistema de la Selección Perfecta, de la justa promoción por el trabajo, la ciencia y la moral de cada uno. Ya hemos dicho que en un mundo en donde no se puede ocultar nada, ni los propios pensamientos; en que no es posible desfigurar, tergiversar o encubrir la verdad, nadie puede pretender lo que no le corresponda, aspirar a lo que no merezca, ni favorecer u otorgar injustamente nada... Comprendemos que todo esto puede parecer una utopía, un absurdo fruto de la imaginación o del idealismo ingenuo de un escritor. No dudamos que la mayoría pensarán de tal modo. ¿Cómo puede pretender tan bellas realidades, tan elevados niveles, una humanidad que pese a sus notables conquistas en el orden científico y técnico, vive aún en estados tan deprimentes de moral, de psiquismo y de espiritualidad?

Pero la presencia de los ovnis es un hecho real. Todo lo que venimos explicando se basa en hechos comprobados por diversas disciplinas científicas, por escuelas que existieron y existen aunque los ignorantes las desconozcan; corroborados a través del tiempo y en diferentes lugares de la Tierra por otros tantos hechos históricos que la arqueología ha comprobado. Todo ese conjunto de pruebas nos habla de un mundo superior al nuestro, de una humanidad más poderosa y sabia que la nuestra; y ahora el destino quiere mostrarnos cómo vive esa humanidad y cómo existen otros niveles de vida que no por ser ignorados todavía por la gran mayoría de este mundo, han llegado a ser conocidos ya por muchos...

Continuando con el tema de este capítulo, debemos explicar que la sucesión al poder supremo en ese reino se decide con bastante antelación a la fecha en que terminará la existencia material del Soberano. Se ha dicho que sus dos colaboradores inmediatos, los Regentes, habiendo subido peldaño a peldaño los diversos niveles administrativos del reino, alcanzan la máxima expresión que la vida en ese mundo puede ofrecer, junto al Soberano. Este, a su debido tiempo, designa entre ellos al que lo sucederá. Debe tenerse en cuenta que esa trilogía gobernante, al detentar la máxima sabiduría y poder en la variedad de planos cósmicos en que trabaja al llegar a tan altos cargos, domina también el secreto de la longevidad. Y de ese modo, el futuro soberano es preparado adecuadamente para asumir su puesto en cuanto muera en el mundo físico el cuerpo inferior de su antecesor. Pero ya explicamos anteriormente cómo es el fenómeno y de qué manera esa humanidad sigue comunicándose y conviviendo en la Cuarta Dimensión con los Egos desencarnados. Así, el anterior Rey sigue ayudando y asistiendo al nuevo, durante un tiempo, en todos los problemas en que éste lo requiera.

Los puestos de Regentes y de Grandes Consejeros del Reino son vitalicios, por la misma razón de haber sido seleccionados progresivamente entre los más capacitados para ellos de toda la población.

Cada uno de los diez Grandes Consejeros encabeza, como jefe superior, un Consejo Funcional integrado por diferentes grupos de asesores administrativos, y entre aquéllos se reparte la atención, dirección y control general de todas las actividades del país, o en este caso, mundo. Para ello todo el territorio está dividido en gobiernos comunales urbanos encargados de atender lo correspondiente al desarrollo de la vida en sus diferentes aspectos en la respectiva zona. Estos son los valles a que nos referimos en capítulos anteriores. En la intrincada red montañosa que cubre toda la superficie del astro, las múltiples planicies encerradas entre las estribaciones de tan complicado sistema orogénico son los centros de actividad humana del reino. En cada valle se asienta una ciudad, más o menos grande según las áreas disponibles, con su correspondiente zona agrícola y el respectivo sistema hidráulico proveniente de una reserva natural o artificial que abastece de agua a dicha región. Cada valle constituye, además, un centro de producción industrial, y está regido por uno de aquellos gobiernos comunales, integrados a semejanza del gobierno supremo central por un gobernador, dos subgobernadores y un comité o consejo administrativo, cuyos miembros dependen de la importancia que pueda tener el territorio bajo su mando. Estos gobiernos comunales tienen bastante parecido con nuestras municipalidades; pero sus alcances, atributos y poder son mucho mayores, pues en ellos abarcan el control general de todas las actividades de su región, siendo dependientes y responsables, a su vez, ante el Supremo Consejo del Reino, por intermedio de los grandes consejos funcionales que ya hemos mencionado, según sean los asuntos a resolver.

La economía general de ese pueblo depende exclusivamente del Estado. La planificación, organización y desarrollo de todas las formas de trabajo y producción son absolutamente estatales. Todas y cada una de las diferentes actividades en que se desarrolla la vida en ese mundo son minuciosamente estudiadas, planificadas, estructuradas, dirigidas y controladas por organismos del Estado, enfocándolas hacia el más perfecto y amplio fin de asegurar a todos el mayor bienestar, la satisfacción total de sus necesidades y el desenvolvimiento de una existencia exenta de preocupaciones, en un nivel de vida que garantice la dignidad más elevada, la armonía más completa y la paz del espíritu y del cuerpo tan cabalmente equilibradas, que de todo el conjunto se derive la felicidad colectiva y personal del pueblo.

Cómo funciona ese régimen

Para una mejor comprensión tomaremos un ejemplo del desarrollo esquemático de la vida de cualquier habitante de Ganímedes. Desde el momento en que la futura madre va a dar a luz al hijo o hija, al ser internada en el centro de salud correspondiente, deja de trabajar en sus obligaciones laborales. Debe tenerse en cuenta que todos sin excepción trabajan para el Estado. En el Reino de Munt no existe ninguna forma de trabajo particular. Todas las ocupaciones, todas las actividades, por más variadas que sean, se desenvuelven dentro de organismos pertenecientes al Estado. Así, cualquiera que sea la ocupación de una mujer, cuando va a tener su primer hijo entra en un nuevo régimen de vida: el de la maternidad y atención de su hogar. A este respecto conviene resaltar que en ese mundo el concepto del hogar, de la familia y de la maternidad son elevadísimos.

No es extraño, por tanto, que lo que nosotros llamamos «ciudad capital» o capital de una nación, tenga allí un término equivalente a «matriz» o ciudad madre de todo el reino. Esto lo veremos con más detalles un poco más adelante.

Cada zona urbana cuenta con uno o más centros de salud, según sea el volumen de la población. En ellos la atención y todos los servicios son enteramente gratuitos. Ahí la parturienta es rodeada de los más esmerados cuidados pre y post natales. Al retornar a su hogar puede dedicarse con toda tranquilidad a la crianza y educación del niño que acaba de nacer. Ya explicamos en el capítulo referente a la cultura, que los primeros siete años de instrucción básica transcurren en el hogar bajo la dirección exclusiva de los padres, especialmente de la madre. Durante ese tiempo, ésta recibe del Estado todo lo necesario para sí y para su hijo. Esto no quiere decir que se prescinda del padre. Este trabaja, como siempre, en su ocupación normal, recibiendo también del Estado cuanto le sea menester para su vida diaria y la de su familia; pero como ya hemos dicho que tanto los hombres como las mujeres trabajan por igual, y todo el mundo lo hace para el Estado, en el período básico de instrucción y educación infantil, la madre es considerada «maestra» del niño. Debe tenerse en cuenta lo ya explicado anteriormente. En el Reino de Munt la totalidad de sus habitantes reciben la más completa enseñanza. Todos –hombres y mujeres– pasan por el mismo proceso que describimos en el capítulo anterior; por tanto, cada madre está capacitada para ser, al mismo tiempo, la profesora de sus hijos, y esto es muy apreciado por los sabios dirigentes de ese mundo en que tanto valor e importancia se da a la conformación moral, intelectual, mental y psíquica del ser humano.

Ello contribuye, además, a reforzar los vínculos de amor, de comprensión y mutuo respeto de todos en el seno de la familia, considerada en Ganímedes la célula sustancial y básica de la sociedad humana, fundamento en que están cimentadas todas sus instituciones. Ese concepto familiar, podíamos decir patriarcal, domina en todos los aspectos de la vida en el Reino de Munt, extendiéndose desde el hogar particular hasta los supremos niveles del Estado. La familia es sagrada para ellos. Desde la constitución de los hogares, todo su desarrollo y evolución merecen el cuidado especial de todos los organismos estatales, porque del seno de la familia, como un crisol de mágicas propiedades, deben salir todos los seres que encarnen en ese mundo con las hermosas cualidades, con la superación moral requerida en aquella sociedad, con la educación necesaria para el absoluto dominio de las bajas pasiones provenientes de la influencia que en la cuarta dimensión ejercen las fuerzas negativas del Plano Astral o del Alma. Y a ese fin se encamina, principalmente, aquel primer período de enseñanza para el que se considera el mejor ambiente el seno del propio hogar.

El nuevo ser dispone, así, de cuanto le sea necesario para aprender a vivir en un mundo tan elevado. Y cuando llega a la edad de ingresar en la segunda etapa, la «shamática», todo se lo proporciona gratuitamente el Estado. No es separado de los suyos. Recibe la instrucción en centros apropiados, pero sigue viviendo en su hogar. Sólo cuando llega la tercera etapa, o de especialización, habiendo superado ya la adolescencia, ingresa en centros de instrucción superior, igualmente del Estado, en los que se mantiene el mismo régimen de gratuidad absoluta y en los que vive junto con los demás discípulos, aprendiendo al mismo tiempo que las materias requeridas por una alta especialización, la rígida disciplina que observan en toda su vida los habitantes de ese reino, y la íntima y estrecha confraternidad que une a todos los seres de ese mundo.

Llegado el momento en que tendrá que trabajar, como todos los habitantes –hombres o mujeres– el Estado lo coloca en el puesto para el que fue capacitado. Desde su ingreso, tiene asegurada su vida hasta el día, lejano, de su muerte física. Desempeña sus labores, en cualquiera ocupación que sea, sin recibir ni pretender salario, sueldo o remuneración específica de ninguna clase, porque el Estado le proporciona cuanto necesite para subsistir: vestuario, alimentación, vivienda, comodidades, transporte, distracciones, viajes de placer, servicios asistenciales de todo orden, comunicaciones, etc., están al alcance de todos, en la medida en que los necesiten, en ese intercambio magistral entre el trabajo de cada uno para el Estado, y la retribución de ese trabajo por el Estado, proporcionando a todos y cada uno cuanto le sea menester para el desenvolvimiento de una vida feliz en los más altos y amplios niveles, de los que no tenemos en la Tierra ni la más remota idea...

A este respecto cabe señalar un detalle singularísimo de aquella civilización: en el Reino de Munt no existe el dinero... Esto puede parecer absurdo para una humanidad como la nuestra. Aquí, el dinero es imprescindible para todo, porque sin el dinero no se puede comprar ni vender nada. Nuestro mundo está encauzado hacia el comercio. El comercio domina todos los aspectos de la vida terrenal, hasta los altos niveles de las relaciones internacionales. Y en un mundo dividido en multitud de Estados, la moneda es imprescindible para el intercambio comercial y el desarrollo económico de los pueblos. Aún más, el comercio ha constituido una de las palancas más poderosas de nuestra civilización, llegando a motivar los más terribles enfrentamientos en todos los niveles, desde el íntimo y pequeño de las familias, hasta el grande de las naciones y todos los pueblos del mundo, que luchan constantemente por los mercados y las esferas de influencia, generando los conflictos y las guerras. El comercio ha favorecido mucho el progreso material de nuestra humanidad; pero acostumbrando a los hombres de la Tierra a medir todo en términos de moneda, a negociarlo todo para el usufructo de una riqueza material, en esa escuela que nos enseña que todo se puede vender y comprar, se ha llegado, en todas las épocas y en todos los niveles hasta el extremo, muy común por cierto, de negociar con el honor, con el alma y la conciencia...

En Ganímedes no se compra ni se vende nada. Desde la más tierna infancia aprenden todos, como axioma, que todas las cosas materiales de ese mundo, que todos los bienes, frutos y productos pertenecen, por igual, a todos los habitantes del reino. Ellos los producen y elaboran, y el Estado los administra y reparte equitativa y sabiamente para la perfecta satisfacción de todos y cada uno de ellos. Y no existiendo allí división de pueblos, siendo una sola humanidad, un sólo pueblo, un sólo Estado mundial; sin el comercio como aquí se conoce, la moneda o el dinero no tiene razón de ser, porque la adquisición de cuanto se requiera para satisfacer las más amplias y variadas necesidades, desde los más diversos elementos vitales hasta los más pequeños y frívolos, es proporcionado por los múltiples organismos estatales, que planifican, dirigen, almacenan y distribuyen toda la producción mundial entre todos sus habitantes, dentro de un sistema en que basta ingresar en alguno de los múltiples establecimientos de todo orden, reunir los artículos que se buscan y presentar en el sitio de control la ficha identificadora. En ésta, constituida por un material y por un proceso similar al que describimos en el capítulo de la cultura, figuran todos los datos concernientes a la persona y centro de trabajo a que pertenece. Esa ficha es introducida en una pequeña máquina y al instante se tiene la reproducción de la ficha en una cinta que, en tres ejemplares, incluye la relación completa de la mercancía llevada. Un ejemplar se entrega al cliente, otro se remite a la correspondiente central controladora y el tercero queda en los archivos del almacén. El mismo procedimiento se sigue en todas partes, exceptuando los servicios de transporte, comunicaciones, suministros de energía y fluidos hogareños, que se obtienen libremente y sin ningún control personal, por ser de uso común para todos los habitantes del reino.

Antes de terminar este capítulo, debemos anotar algo más sobre la constitución social de esa raza. Continuando con el ejemplo del hombre que llegó hasta la etapa de trabajo, es corriente que los hijos continúen viviendo al lado de sus padres hasta formar un nuevo hogar. Hemos referido cómo se destaca y se magnifica la familia, elevándola a los más altos conceptos en esa humanidad. De esa manera, la elección de cónyuge es también cuidadosa y sabiamente enfocada. El absoluto dominio del cuerpo astral o alma, por el conocimiento y trabajo consciente a través del sexto sentido, permite a todos superar las comunes manifestaciones del instinto sexual, que en la Tierra llegan hasta niveles inferiores a los animales. En los jóvenes de Ganímedes, cuando alcanzan la etapa de la pubertad, ya han obtenido toda la instrucción, en los diferentes planos a que tienen acceso por su sexto sentido, para poseer el más claro discernimiento y la fuerza volitiva y mental suficientes para proceder equilibrada, científica y armoniosamente en ese campo. La unión del hombre y la mujer tienen allí un elevadísimo concepto. Sus especiales condiciones de clarividencia los alejan de todos los errores tan comunes en la Tierra en materia sexual. Y siendo el hogar y la familia verdaderamente sagrados en ese mundo, esa unión siempre se realiza por amor y con la bendición de los padres, de la Religión y del Estado. Cuando dos jóvenes se conocen y simpatizan, su mutua clarividencia les evitan las necias posturas de los principiantes de la Tierra. La recíproca atracción de dos almas destinadas a juntarse está presente en el pensamiento de ambos. Huelgan los rodeos y las hipocresías. El engaño y la falsedad no pueden existir. El amor se manifiesta espontáneamente, en toda la amplitud de dos almas que se ven y que se entienden. Y como la educación y la alta moral alcanzadas en ese mundo serían incompatibles con los múltiples desvíos, subterfugios y aberraciones tan comunes entre los seres de este mundo, al tratarse, comprenderse y amarse con la más elevada pureza de pensamiento, para su unión carnal sólo necesitan el cumplimiento de los pequeños requisitos que esa sociedad establece para el matrimonio. Como en todo, allí también se facilita cuanto es preciso para la felicidad de los enamorados. Jamás se dan casos de oposición familiar. La superación moral y fraternal reinante entre ellos los alejó hace miles de años de las mezquindades y torpezas que muchos padres de la Tierra cometen. La lectura del pensamiento y la visión permanente de la cuarta dimensión evidencian, desde el principio, si una pareja está capacitada para unirse dentro de los mejores augurios. Esto lo conocen personalmente los mismos novios desde el primer momento. Todo lo demás se facilita lógicamente. Acordado el enlace, éste es comunicado a las respectivas autoridades, civiles y religiosas.

Se cumplimentan los trámites pertinentes para la constitución del nuevo hogar y se realiza el matrimonio en conformidad con las prácticas litúrgicas y legales que la tradición establece desde la más remota antigüedad. Nada cuesta nada, ni a los novios ni a sus padres. El Estado, como siempre, proporciona cuanto es necesario. La ceremonia nupcial es igual para todos los habitantes del reino: sencilla, amorosa, rodeada por el afecto de parientes y amigos, como entre nosotros; pero sin afectación de vanidad, sin distinción de clase, porque allí no existen diferencias de nivel social, y dentro del marco de una hermosa ceremonia en que se reúne lo material, lo psíquico y lo espiritual para la bendición efectiva, no ficticia como en la Tierra, sino materializada con la presencia real de grandes entidades cósmicas, según detallaremos al tratar este punto en el capítulo de la religión.

Desde el momento en que contraen matrimonio, los nuevos esposos cuentan con una nueva vivienda, con todo el mobiliario, enseres de confort y equipos de higiene y para la alimentación, proporcionados por el Estado, en donde podrán instalar su nuevo hogar al regreso de una etapa de descanso y de viaje nupcial en que todo se les ha facilitado por el mismo sistema ya descrito anteriormente. Ha nacido una nueva familia, y el ciclo se repite, para todos, a través de la sabia y paternal organización de ese reino de superhombres...

CAPÍTULO 14

Un mundo sin ejércitos ni policía

De todo lo expuesto hasta ahora se desprende, por lógica deducción, que en Ganímedes no puede haber ejércitos ni armadas. ¿Cómo concebir un cuerpo como la marina en un mundo que no tiene mares? Ya se explicó en los primeros capítulos que toda el agua de ese astro está repartida en la multitud de lagunas, lagos y reservas existentes en todos los valles. Según la extensión de cada uno de estos, es mayor o menor el área acuática. Muchos de esos lagos o lagunas fueron formados por la acción inteligente de los habitantes, a través de siglos, en su constante expansión por toda la superficie del satélite. Cuando llegaron a él, como hemos visto, establecieron las primeras bases en el valle que ha sido luego la sede de su capital, o «Ciudad Madre» como la llaman, y en los valles circunvecinos. El valle «matriz» es uno de los más extensos y hermosos del país. Rodeado por altísimas montañas cubiertas de nieves perpetuas y de brillantes glaciares, entre los que elevan al cielo, por lo general celeste y limpio, sus blancos penachos de vapor ocho majestuosos volcanes. Refieren las crónicas del reino que en su origen eran sólo cinco los volcanes; pero que los tres restantes fueron abiertos y «fabricados» por ellos, para aliviar la fuerte presión interna sobre la corteza de esa región y para aumentar los coeficientes de fuerzas, energías y materiales que de ellos obtienen. La planicie en que se extiende la ciudad, bastante grande pues alberga dos millones de habitantes, puede compararse en belleza panorámica a algunos lugares de Suiza o del Tirol. Rodean la zona urbana grandes campos cultivados y frondosos bosques de especies desconocidas en la Tierra, bordeando un lago de cristalinas aguas alimentadas por las vertientes montañosas. En los límites cercanos a la ciudad se aprecian variadas instalaciones, refulgentes como todo en Ganímedes, que rematan una gigantesca presa.

Hemos dicho que al no haber mares, no podían existir armadas. Pero en aquel plácido y pintoresco lago, como en todos los de mayor o menor extensión, hay diferentes tipos de embarcaciones: unas grandes, con líneas marcadamente elípticas y cubiertas chatas, convexas y del mismo acabado rutilante como plata bruñida que se observa en todas partes; otras pequeñas, de variadas formas, pero del mismo material que las grandes. Son naves de paseo, colectivas las primeras y familiares las pequeñas, para el solaz y esparcimiento de los pobladores que lo deseen. No se emplean como medio de transporte porque éste, en general es de tipo aéreo, y para evitar que las aguas pudieran ser contaminadas o ensuciadas por tal motivo. En efecto, con las magníficas y poderosas máquinas aéreas que poseen, todo el transporte de personas y materiales viaja por el aire. El transporte terrestre sólo se usa entre las instalaciones subterráneas. En tales casos la propulsión es de tipo eléctrico, pero los equipos han alcanzado límites verdaderamente maravillosos en cuanto a disminución de espacio-peso-masa y en multiplicación de potencia.

Veamos ahora lo referente a fuerzas armadas y policiales. Sabemos bien que los ejércitos son necesarios para salvaguardar las fronteras de un país, hacer respetar su soberanía en el orden internacional y, muchas veces, en el interno. Esto se justifica en un mundo dividido en diferentes naciones. Pero en una civilización extendida por todo el mundo, dentro de un sólo Estado, ¿para qué serviría un ejército?... Aún puede argüirse que por la seguridad interna de ese Estado. Esto, igualmente, se explica en la Tierra, por nuestro atraso moral y de otros órdenes..., pero ¿en una humanidad como la de Ganímedes? Si hemos comprendido los alcances de todo lo que se ha expuesto, resultaría absurdo, ingenuo, creer que el Reino de Munt pueda necesitar fuerzas armadas...

No pensemos, sin embargo, que esa raza de superhombres esté inerme. ¡Nada de eso! Cuentan con medios asombrosos, en su formidable adelanto científico y técnico, para dominar, si lo quisieran, a todos los mundos de nuestro sistema planetario. Hemos dicho que desde los tiempos más remotos establecieron bases en el espacio, como la que describimos al comenzar esta obra. Hemos apuntado también que esas bases, repartidas estratégicamente en diversos puntos de nuestro sistema solar sirvieron para estudiar y conocer todos los planetas, extraer y utilizar diversos materiales de varios de ellos, vigilar y controlar el desarrollo evolutivo de los mismos, y poder cumplir las misiones cósmicos emanadas del centro Gobernante de todo el sistema que hemos dicho que es el Sol. Esto mantiene estrecha relación con sus actuales visitas a la Tierra, como las que efectuaron en otras épocas, en cumplimiento de Planes Cósmicos a los que nos referiremos después, en los próximos capítulos. Pero en cuanto a la calidad y extensión de ese poder, recordemos lo presenciado por nuestro amigo Pepe en su primer viaje a través del «Cinturón de Asteroides» ya narrado..., y recordemos, igualmente, el hecho misterioso y conocido por todo nuestro mundo actual, del fantástico y gigantesco apagón que sufrió toda la costa oriental de Norteamérica hace pocos años. En la memoria de todos, en nuestra Tierra, están frescas aún las noticias propaladas a todo el planeta de aquel tremendo e inexplicable fenómeno. Una noche, súbitamente, cesó de golpe la corriente eléctrica a lo largo de toda la costa atlántica, desde el norte de Canadá hasta el sur de los Estados Unidos. Al faltar el fluido se pararon, de pronto, en todas partes, cuanto mecanismo y artefacto funcionara eléctricamente. Las ciudades quedaron en tinieblas. Se detuvieron los ferrocarriles y los automóviles, y se paralizaron las fábricas y talleres. La gente se quedó encerrada en los ascensores, inmovilizada en los subterráneos, en las tiendas con puertas de cristales eléctricas..., todo ello a través de miles de kilómetros en una extensa franja de territorio que abarcó cientos de ciudades y pueblos, entre ellos la populosa Nueva York. El apagón duró dos horas sin que los numerosos equipos de técnicos e ingenieros, que buscaban la causa por doquier, sin poder hallarla ni explicar lo que pasaba, lograran arreglar la avería. Transcurrido ese tiempo, volvió la corriente, de la misma forma súbita y misteriosa como se fue... Nadie en el mundo pudo explicar este fenómeno; pero el pánico, el desconcierto y la curiosidad de millones de seres perduran todavía... ¿Qué pasó esa noche en las costas orientales de toda América del Norte?... Ahora, desde Ganímedes, nos viene la respuesta: fueron dos astronaves de ellos. No las del modelo más grande, sino las del tipo de seis tripulantes, ya descritas. Detenidas en el espacio, a una altura imposible de ser descubiertas, una sobre el Golfo de México y la otra sobre el Atlántico en un punto cercano al cabo Farewell (Groenlandia) establecieron un circuito de ondas que paralizó toda la energía eléctrica de aquel sector... No quisieron revelar el secreto de esa fuerza. Pero explicaron que había sido un ensayo y un aviso, con íntima relación a los sucesos mundiales que se avecinan y con la futura misión cósmica en que tendrán que actuar para bien de muchos seres de este mundo...

Tal vez no sea exacto decir que no cuentan con fuerzas armadas, si consideramos la amplitud de los servicios aéreos, la cantidad de gente que en ellos trabaja, la perfecta organización y la férrea disciplina que se advierte en todos y cada uno de los elementos que los forman. Y si tenemos en cuenta que las bases en el espacio también están comprendidas dentro de los organismos estatales que dirigen y controlan todos los servicios aéreos, y meditamos un poco acerca del ejemplo de lo sucedido aquella noche en las costas atlánticas de Norteamérica, podemos pensar que todo ello representa una verdadera organización aérea de tipo militar, aun cuando no manifiesten, ostensiblemente, ningún propósito belicista.

Respecto al fenómeno del gigantesco apagón mencionado, muchos creyeron poder atribuirlo a alguna avería que, de alguna manera pudo ser la causa, aunque jamás se supo que fuera localizada. Y en tal caso, de haber sido posible tal hipótesis, ¿cómo se explicaría que los automotores, como autos, camiones, autobuses y motocicletas, ajenos por completo al suministro de corriente urbano, con medios independientes de propulsión, también se vieron paralizados...?

Todo el material de este libro se basa en los informes proporcionados por nuestro amigo, como se ha explicado desde el comienzo. La mayor parte se debe a las observaciones directas de Pepe. Otras, a la información recibida por él de los mismos habitantes de Ganímedes. Es lógico suponer que haya mucho más que lo captado hasta ahora. Que posean secretos y detalles o aspectos muy íntimos de su civilización que no le revelaran todavía; al menos hasta que haya llegado a compenetrarse profundamente con ellos. Esto se desprende claramente de ciertas facetas de su narración: en el desarrollo informativo de varios temas, Pepe me confesó que le habían dicho: «Con el tiempo comprenderás y conocerás nuevas cosas...»

Ahora, antes de terminar este capítulo, veamos también cómo no es necesaria lo que entre nosotros conocemos por «policía». El alto nivel moral alcanzado, y las especiales condiciones de vida en un mundo en que la cuarta dimensión está presente para todos, según lo hemos explicado, resulta superflua una institución policíaca. Si no puede haber delincuentes porque la superación moral y psíquica, unidas al sexto sentido, lo impiden, ¿qué justificación tendría el organizar y mantener un sistema policial, incluido el establecimiento de cárceles?... En este campo de acción, todo individuo es su propio guardián, y el conocer y actuar simultáneamente en el mundo físico y en la cuarta dimensión, le está manifestando en todos los instantes de su vida física la presencia de aquellas entidades superiores, suprafísicas encargadas de vigilar y dirigir la evolución de todo su mundo. Al no poderse ocultar nada, ni el más pequeño pensamiento ¿qué le sucedería a un individuo en el supuesto e imposible caso de dejarse arrastrar por una mala tentación? Todos cuantos le rodearan, la sociedad entera de ese mundo, conocerían de inmediato su intención y le impedirían realizarla...

Lo que existe allí, para el mejor desenvolvimiento de la vida en las ciudades, en los campos y en todas las organizaciones a través de las que se desarrolla la producción y los diferentes servicios, es un sistema colectivo de asistencia social para la previsión y auxilio de emergencias. En él toman parte, sin excepción, todos los habitantes del reino, que se movilizan automáticamente en el lugar y en la proporción en que sean necesarios. Este mismo servicio atiende, en cierta forma, cuanto se relaciona con la higiene, limpieza y eliminación de desperdicios. Estos dos últimos aspectos son ejecutados por medios mecánicos enteramente automáticos, accionados por control remoto y en ciertos aspectos, por mecanismos electrónicos de autocontrol, algo así como robots, de una eficiencia asombrosa. Además, la alta cultura y la esmerada pulcritud de los habitantes hacen que en todo lugar, hasta los más apartados rincones del reino, se mantenga la limpieza y la higiene general en niveles que superan incluso a las salas de cirugía de nuestros más modernos hospitales. El mismo servicio comunal de asistencia que acabamos de mencionar controla también este aspecto de la vida en Ganímedes.

Y para terminar este capítulo debemos decir que allí tampoco se conocen periódicos, revistas o publicaciones como tenemos en la Tierra. En todos los confines del satélite funciona una gigantesca red de comunicaciones por ondas electromagnéticas y lumínico-sonoras que llega a todos los hogares, centros de trabajo, dependencias administrativas y oficiales, centros de cultura, salud, y esparcimiento, sin que falte en ninguna parte. Dicha red capta, transmite y reproduce cuanto sucede en los más apartados sitios del reino. Así, toda la población conoce de inmediato cualquier noticia; nada escapa al ojo y al oído múltiple de aquel sistema-servicio gratuito como todos los demás.

CAPÍTULO 15

La religión en el Reino de Munt

Resulta interesante comprobar que la religión de los superhombres que habitan Ganímedes es, en esencia, la misma doctrina de Amor y Confraternidad que predicó hace dos mil años el Sublime Maestro Jesucristo en las riberas del Jordán. Todas las enseñanzas fundamentales del primitivo Cristianismo y muchas de las prácticas esotéricas usuales en el período inicial de la vida de los primeros cristianos, se encuentran en la base fundamental de la estructura religiosa de aquel Reino de Munt. Y para mayor abundamiento, cabe anotar la asombrosa coincidencia de la forma como en Ganímedes se denomina a la figura central o Personaje Divino en torno al Cual gira todo el culto. Lo llaman con el más profundo respeto y veneración: **«El Sublime Maestro, Dios del Amor y del Perdón, Camino de la Luz, de la Verdad y de la Vida».**

En esto encontramos también otra sorprendente coincidencia con las prácticas y lecciones ocultas de una de las más antiguas órdenes iniciáticas de nuestro mundo: la secretísima de «Los Caballeros de la Mesa Redonda» ya mencionada en otros capítulos de este libro. Entre los herméticos Hermanos Caballeros de tan antigua institución esotérica, se llama a Cristo, en nuestro mundo, **«El Sublime Maestro, Dios del Amor y del Perdón, Camino de la Luz, de**

la Verdad y de la Vida»... La misma fórmula, exactamente idéntica, el mismo concepto y las mismas enseñanzas fundamentales. A través de milenios de separación en el tiempo, y de más de setecientos sesenta millones de kilómetros de distancia en el espacio, ¿qué relación existe o ha existido entre ambos...? No estamos capacitados para resolver este misterio. Pero vamos a ver, a medida que avancemos, otras muchas coincidencias y semejanzas estrechísimas entre la religión de ese mundo y varias doctrinas del nuestro.

Pero si comprobamos abundantes concordancias, vemos también profundas y múltiples diferencias en la práctica religiosa, con respecto a la Tierra. En primer lugar, allí sólo hay una religión, como un solo gobierno. Esa proliferación de credos, que es una de las muchas causas de división entre nuestra humanidad, no existe allí. Su religión es la misma para todos, con una misma doctrina, una filosofía uniforme y una práctica igual en todos los confines del reino y para todos y cada uno de sus habitantes. El dogmatismo –tan común entre nosotros– ha sido superado por la explicación científica en la enseñanza religiosa, y por la comprobación metafísica en los diferentes planos cósmicos, tanto para la práctica general de los preceptos como en la liturgia de los oficios de la profesión sacerdotal. En los capítulos anteriores manifestamos que el Soberano reinante allí es al mismo tiempo el Sumo Sacerdote. Pero el sacerdocio, en Ganímedes, no pretende apoderarse de la conciencia popular ni de dominar la voluntad y la mente de sus feligreses. En todos los niveles eclesiásticos, verdaderamente reducidos, pues sólo hay cuatro categorías entre el sacerdote común y el Supremo Pontífice, la diaria labor está enfocada principalmente a la instrucción de las grandes verdades cósmicas –sólido sustento de toda la doctrina– y a las prácticas del culto que no tienen nada de teatral o espectacular y sí mucho de comprobación objetiva de las enseñanzas previas o teóricas. Las ceremonias rituales son verdaderas pruebas demostrativas de la existencia y de la interconexión de los diferentes planos cósmicos, o de la Naturaleza, de las fuerzas y energías que en ellos actúan y de la estrecha relación entre las diversas entidades superiores e inferiores que los pueblan. Cada ceremonia, cada rito, pone en evidencia alguna o varias de esas fuerzas y entidades, porque el sexto sentido presente en todos, permite verlas, oírlas, unirse a ellas, si conviene, para realizar conjuntamente los maravillosos servicios que en tales oportunidades tienen lugar en beneficio general de todos.

Cuando hablamos del matrimonio en el capítulo precedente, prometimos dar mayores datos sobre la ceremonia. Vamos a hacerlo, como un ejemplo de lo que se viene explicando. Se dijo que para todos, sin distinción, era igual en sobriedad, ausencia de lujos y oropeles vanidosos y en la maravillosa experiencia de manifestación efectiva de las grandes fuerzas cósmicas que en ese acto intervienen. Los novios avanzan solos hasta el centro del templo que, invariablemente, es de forma circular y en cuyo centro está ubicado el altar, una simple mesa –redonda y de metal dorado y refulgente– ante la cual los espera el sacerdote. Todos los demás asistentes, padres, parientes y amigos, se reparten en torno a ellos, pero a discreta distancia, llenando el amplio espacio y formando así un compacto círculo humano en cuyo centro permanece el triángulo integrado por los contrayentes y el sacerdote que rodean el ara. Todo ello tiene un significado cósmico profundo: el recinto simboliza al universo; los asistentes, ubicados en círculos en torno al altar, recuerdan los mundos y habitantes de nuestro sistema planetario, girando en sus órbitas alrededor del Sol representado por el Ara; y los tres personajes centrales de la ceremonia a celebrarse vienen a ser el símbolo de la Vida en aquel astro. No hay ninguna imagen, ningún objeto ni utensilio material sobre el altar. El sacerdote viste una larga túnica dorada, sin emblema de ninguna clase, y los novios son revestidos en aquel momento por sus respectivos padres, con un sutil y vaporoso manto blanco. Ello simboliza la educación que los padres les dieron para elevar sus almas a los altos niveles de la pureza moral, mental y psíquica que todos están viendo, con el sexto sentido, en los brillantes resplandores de sus respectivas auras. Cumplido este primer rito y ocupando todos sus puestos correspondientes, comienza la ceremonia sacramental. El sacerdote eleva sus manos al cielo imitado por todos los asistentes, incluso los novios. Una plegaria muda toma forma en el pensamiento –visible– de todos, siguiendo a la que dirige el oficiante; poco a poco se va notando un suave rumor que parte de todos los labios, como las notas muy tenues de una salmodia. La plegaria telepática –uniforme y concentrada– se une en la cuarta dimensión a las ondas sonoras que se están modulando en aquella letanía o melopea sorda. A medida que la intensidad aumenta, sin llegar nunca a disonancias o estridencia, el recinto se va iluminando con una extraña luz dorada que aumenta en intensidad segundo a segundo. Junto con aquel brillante resplandor se aprecia una música melodiosa y de singular armonía que envuelve a todos en un ambiente balsámico; en la parte central, exactamente sobre el ara, comienza a notarse como un torbellino de luz, de ráfagas fulgurantes que giran vertiginosamente al principio y que, reduciendo poco a poco su velocidad se van condensando y adquiriendo forma humana... Aquella figura resplandeciente ya es perfectamente visible. Es un ser de indescriptible belleza que se mantiene en el aire sobre el altar. De sus ojos y de toda su persona brotan rayos de potente luz dorada, blanca o ligeramente celeste, en combinaciones imposibles de explicar en nuestro lenguaje. El sacerdote oficiante baja los brazos y dirige sus manos hacia los novios. Estos, igualmente, bajan los brazos y se toman las manos. En ese momento aquel Ser maravilloso materializado sobre el Ara dirige su mirada a los contrayentes. Todo el templo se llena de armonías imposibles de explicar en nuestro mundo. Son melodías celestiales que van acompañadas por una suave fragancia que invade todos los ámbitos del templo y que exaltan los sentidos de todos los presentes. En torno al Ser resplandeciente que se dispone a bendecir a los novios, giran entonces una serie de entidades, también luminosas pero sin alcanzar la magnitud de los destellos que brotan de la figura central. Todo es un conjunto glorioso, divina emanación de los Planos Superiores de la Vida, mensajero celestial del Reino de la Luz Dorada que, más adelante veremos, en verdad, es el Reino de Cristo...

Aquel bellísimo y esplendoroso Ser dirige sus manos –lo mismo que el sacerdote– en dirección a las de los contrayentes unidas en amoroso lazo. De las divinas manos de la aparición brotan haces de luz, como rayos que envuelven a los novios, y algo así como un coro de mil lejanas voces es percibido claramente por todos los asistentes. La visión se va esfumando, cesan las voces y armonías, se extinguen los destellos luminosos y todo vuelve a la anterior normalidad. Los dos nuevos esposos acaban de formar un nuevo hogar consagrado no por los hombres mortales como en la Tierra, sino directamente por las altísimas entidades de aquel Reino de la Luz, del Amor y de la Vida al que tantas veces mencionó Cristo cuando hace dos mil años, nos decía: «Mi Reino no es de este Mundo... Seguidme, porque Yo Soy el Camino, la Verdad y la Vida...»

Somos conscientes de que a la mayoría de los lectores todo esto les parecerá fantástico. No podemos evitar que piensen así quienes ignoren las grandes verdades del Cosmos. Es el mismo caso que, en otras partes de este libro, comparamos con lo que habrían pensado hace cien o doscientos años si les hubieran descrito en aquel entonces nuestra actual televisión, radar, computadoras electrónicas o los viajes a la Luna en máquinas comunicadas y controladas por control remoto... Quien ignora algo no está en condiciones de opinar sobre ello. Pero todo aquel que posea ya una cultura metafísica y que haya logrado algún adelanto en las ciencias esotéricas, comprenderá que nos estamos refiriendo a fenómenos positivos, a hechos reales y comunes en los planos superiores del Cosmos.

Asimismo, muchos se preguntarán qué significa todo eso de «La Luz Dorada», «Reino Solar de Cristo», «Mensajeros del Reino de la Luz Dorada», etc. Vamos a explicarlo. Ya hemos dicho en diferentes pasajes de esta obra cómo es conocido, ampliamente, nuestro sistema solar por los superhombres de esa raza. Y también explicamos lo referente a la Cuarta Dimensión y al Sexto Sentido. Con tal bagaje de conocimientos no es de extrañar que alcancen, en su ciencia y en su religión, a conocer que la estrella primaria de nuestro sistema planetario, el Sol, es realmente la morada, el mundo en que se asienta la Vida en un «Reino de la Naturaleza» enteramente superior a todo lo imaginable en la Tierra. Esto, a primera vista, puede causar risa al ignorante, al escéptico y al materialista. Pero muchos científicos de nuestra época actual ya vislumbran que la Vida puede manifestarse en miles de formas, no sólo en las que nosotros comprendemos. Para la Vida, que emana de los más altos niveles del Cosmos, que es completamente inmaterial, con absoluta independencia del medio en que le toque manifestarse y que el espíritu, participante de esa Vida y perpetuamente inmortal, puede asímismo actuar libremente en cualquier plano de la Naturaleza y asentarse en cualquier mundo, sin que las condiciones ambientales de ese mundo le afecten en lo más mínimo por su misma inmaterialidad; un mundo como el Sol en que la vida material, física, es inconcebible, puede, sin embargo, ser la morada, el reino especial de un tipo de seres, es decir espíritus, que en él concentren la fuerza inconmensurable de su Inteligencia y Poder para los Supremos Fines de la Sabiduría Infinita del Creador... Y ésta es la verdad. El Sol no es solamente el centro astronómico de nuestro sistema planetario, cuya fuerza de gravedad mantiene en sus órbitas a tantos otros cuerpos celestes. No es únicamente la fuente central de energías y fuerzas que irradia a todos ellos, como ya lo saben nuestra Física, nuestra Química y todas nuestras ciencias naturales y astronómicas

Es también el Centro, la Matriz, en una palabra El Reino, en que se concentran –como en una gigantesca central distribuidora– todas las Fuerzas, todas las Inteligencias, todos los Poderes de la

Naturaleza y el Cosmos relacionados con todos los mundos y todos los seres que integran la gran familia de Su sistema planetario. Y esa central gigantesca, ese reino sideral no es otro que el Reino Cósmico, el Trono Supremo desde el cual gobierna todo un sistema solar Aquel Sublime y Gran Espíritu a Quien en la Tierra denominamos El Cristo...

En Genímedes esto lo saben con pruebas, como ocurre siempre allí. Y le dan los nombres más arriba mencionados. En cuanto a este punto, debemos manifestar que en la Tierra también lo conocen muchos. En los grandes lamasterios del Tibet y en algunos de la India y del Nepal se llama al Sol «El País de la Luz Dorada» y los Grandes Lamas han poseído siempre el secreto de este nombre. Entre los Caballeros de la Mesa Redonda todo esto es conocido ampliamente, y lo mismo que en Ganímedes, denominan al Sol «El Reino de la Luz Dorada». Y en la más remota antigüedad, ¿por qué adoraban al Sol las más cultas y avanzadas civilizaciones de aquel tiempo?... Egipto, Persia, Tiahuanacu, mayas, aztecas e incas centralizaron en el Sol el supremo culto de sus religiones y, bajo diferentes nombres por los léxicos distintos, pusieron al Sol a la cabeza de sus complicadas teogonías. En esos lejanos tiempos no se explicaba al pueblo las grandes verdades cósmicas ocultas en la simbología. Eran secretos conocidos por unos pocos sacerdotes, incluso no todos, sino los verdaderos iniciados en las ciencias herméticas, como aquellos «Hermanos de la Esfinge» ya mencionados al principio de esta obra. Los historiadores comunes creyeron ver en ello –en el culto al Sol– solamente el reconocimiento de las fuerzas y energías físicas, luz, calor, etc., que dan vida químico-física a los mundos dependientes del astro-rey. Así lo explicaron a la posterioridad. Pero quienes han estudiado, en distintas épocas, la metafísica profunda en aquellas escuelas esotéricas tantas veces mencionadas, saben que existen muchas pruebas del otro aspecto, coincidentes en todo con lo que en Ganímedes constituye una verdad comprobada y un fundamento esencial de su religión. A este respecto podemos decir que en el Tíbet, antes de que la China comunista lo invadiera convirtiéndolo en provincia suya, los Dalais-Lamas y los más altos lamas conocían y guardaban en el más cuidadoso secreto un voluminoso papiro egipcio de los tiempos de la segunda dinastía –es decir, más de cinco mil años– que la tradición hacía llegar hasta su lejano país conducido por dos «Hermanos de la Esfinge» en la época en que se estaba derrumbando el reino de los Faraones por la decadencia de los Ptolomeos. Es conocido en todas las escuelas ocultas de los misterios antiguos el éxodo de los últimos «Hermanos de la Esfinge» antes de que llegaran los romanos a conquistar las tierras del Nilo. Se sabe cómo se repartieron por el mundo, estableciendo nuevas escuelas de su ciencia en diferentes lugares de la Tierra. Los rosacruces de la Europa medieval fueron una de ellas. Y en el voluminoso rollo de papiros confiado a la custodia y perpetua instrucción de los más sabios Lamas del Tíbet, entre muchas enseñanzas relacionadas con el Cosmos, estaba la que se refiere al Sol como sede central de un **«reino de Grandes Espíritus, Dioses de los mundos que lo envuelven, que gobiernan los cielos y la Tierra, a los hombres, animales y plantas, y a todas las cosas que dependen del dominio y voluntad supremas de Amon Ra»**...

Esta alusión no puede ser más clara. Interpretando las amplias lecciones del papiro a la luz de los conocimientos emanados del sexto sentido y de la Cuarta Dimensión, «Amon Ra» –el padre de la teogonía del antiguo Egipto– no es sólo el disco solar, el astro físico central de nuestro sistema planetario, sino el Gran Espíritu que lo rige como Rey y Señor de todo el sistema. Y ese Gran Ser, reconocido y reverenciado por los «Hermanos de la Esfinge», por los Magos de Zoroastro en la antigua Persia, por los sacerdotes iniciados de los mayas, aztecas e incas, es el mismo a quien los hombres del Reino de Munt consideran «El Sublime Maestro, Dios del Amor y del Perdón, Camino de la Luz, de la Verdad y de la Vida»...

Si todas estas cosas hubieran sido conocidas por los sacerdotes de las diversas regiones de la Tierra, en diferentes lugares y épocas ¡cuántos errores y crímenes se hubiera evitado!... Pero nuestra humanidad estaba todavía en la infancia de la Evolución. No puede extrañarnos que así sea si comparamos a los pueblos con los individuos que los forman. Qué distancia tan grande en facultades, experiencia, sabiduría y poder hay entre un niño pequeño y un adulto instruido. Y esa distancia se multiplica hasta el infinito si tomamos como elementos de comparación a dos seres pertenecientes a tipos o niveles de evolución separados, por ejemplo, al miembro de una raza de pigmeos de Australia y a uno de nuestros hombres de ciencia actuales. Y esa progresión, como ya se ha dicho, alcanza al Infinito. Es el resultado ineludible de las leyes cósmicas gobernantes de la Evolución Universal. Ya tratamos este tema al ocuparnos de la Cuarta Dimensión y al explicar la Ley de la Reencarnación.

Llegados a este punto, hemos de anotar también que el conocimiento profundo y comprobado por la experiencia en la Cuarta Dimensión, de la «Ley Cósmica de la Evolución Progresiva Universal» y de la Reencarnación, constituyen verdaderos pilares fundamentales de la Religión en Ganímedes. Por todo lo explicado en la segunda parte de este libro, nos abstenemos de repetir información que sería redundante. Pero tenemos que mencionar ciertas coincidencias notables entre los conceptos y fundamentos religiosos de esa raza y nuestra humanidad, procurando esclarecer divergencias de opinión y los graves errores que en la Tierra ha motivado su ignorancia.

No vamos a detenernos especialmente en las religiones antiguas y modernas que participan de aquel conocimiento, como las de la India y el Tíbet. Tampoco vamos a repetir el vasto dominio que del tema existe en todas las escuelas esotéricas. Queremos referirnos, muy particularmente, al gran bloque cristiano, sin diferencias de iglesia, por ser el Cristianismo la última y más elevada concepción religiosa a que ha llegado el proceso evolutivo correspondiente en la etapa actual de nuestra civilización. Hemos venido explicando que la religión en Ganímedes participa de todos los elementos esenciales contenidos en las sublimes enseñanzas de Cristo, y que la diferencia que pueda haber entre la denominación y concepto absoluto del personaje se deben únicamente a diferencias de léxico, muy pequeñas y relativas, pero en mayor grado a la distancia enorme del desarrollo evolutivo de ambas humanidades. Todas las lecciones sustanciales de la doctrina crística están presentes, de manera inconfundible, en la doctrina básica de la religión de Munt. Y no sólo están presentes como cuerpo de doctrina y como guía filosófica. Son verdaderas fuerzas vivas que tienen su manifestación objetiva en el desarrollo moral, psíquico y mental de todos los seres que habitan ese mundo. ¿De qué manera han podido grabarse con tal intensidad, con tan poderoso influjo en la mente y en el alma de toda esa humanidad?... Primero, por los métodos de enseñanza de padres, maestros y sacerdotes, que jamás pretendieron obligar a creer determinada verdad como un dogma impuesto y no explicado. Y en segundo lugar, por aquel sexto sentido que permitió a todos, maestros y discípulos, comprobar la realidad de la enseñanza en todos los niveles de la Vida, desde el mundo físico hasta dominios superiores a la cuarta dimensión.

Y así se ha comprobado, desde los tiempos remotos del Planeta Amarillo de origen, el proceso evolutivo y su inmediato instrumento, la reencarnación. Esta gran verdad, sin la cual no tiene lógica ni explicación la variedad de estados, formas y niveles de vida desde lo más ínfimo hasta lo supremo, en todo el Universo, ¡también fue enseñada en la Tierra por Cristo...! Tomemos la Biblia. En el Evangelio de San Mateo, capítulo 11, versículos 13 al 15, el Señor hablando con sus discípulos sobre la misión de Juan El Bautista, dice: «Porque todos los profetas y la ley hasta Juan profetizaron. Y si queréis recibir, él es aquel Elías que había de venir. El que tiene oídos para oír, oiga»... Más adelante, en el mismo evangelio, cap. 17, versículos 10 al 13, repite: «Entonces sus discípulos le preguntaron, diciendo: ¿Por qué dicen pues los escribas que es menester que Elías venga primero? Y Jesús respondió, diciendo: A la verdad, Elías vendrá primero, y restituirá todas las cosas. Mas os digo que ya vino Elías y no le conocieron; antes hicieron en él todo lo que quisieron; así también el Hijo del Hombre padecerá por ellos. Los discípulos entonces entendieron, que les hablaba de Juan El Bautista...» En el Evangelio de San Marcos, cap. 9, versículos 10 al 13, hablando sobre la resurrección de los muertos, se lee: «Y retuvieron la palabra en sí, porfiando sobre qué sería aquello: Resucitar de los muertos». «Y le preguntaron, diciendo: ¿Qué es lo que los escribas dicen, que es necesario que Elías venga antes?» «Y Él les dijo: Elías a la verdad, viniendo antes, restituirá todas las cosas; y como está escrito del Hijo del Hombre, que padezca mucho y sea tenido en nada». «Empero os digo que Elías **ya vino**, y le hicieron todo lo que quisieron, como está escrito de él»... En el Evangelio de San Juan, capítulo 3, versículos 1 al 7 leemos una de las más claras referencias. Dice así: «Y había un hombre de los Fariseos que se llamaba Nicodemo, príncipe de los judíos. Este vino a Jesús de noche, y díjole: Rabbi, sabemos que has venido de Dios por maestro; porque nadie puede hacer estas señales que tú haces, si no fuere Dios con él. Respondió Jesús, y díjole: En verdad, en verdad te digo que el que no naciere otra vez, no puede ver el Reino de Dios». «Dícele Nicodemo: ¿Cómo puede el hombre nacer siendo viejo? ¿Puede entrar otra vez en el vientre de su madre y nacer? «Respondió Jesús: De cierto, de cierto te digo, que el que no naciere de agua y del Espíritu, no puede entrar en el Reino de Dios. Lo que es nacido de la carne, carne es; y lo que es nacido del Espíritu, espíritu es. No te maravilles que te dije: Os es necesario nacer otra vez».

A través de los siglos se ha pretendido interpretar sofísticamente estas concretas palabras del Salvador, empleando los más complicados juegos de la dialéctica teológica. Pero Cristo refrenda su afirmación a Nicodemo con estas palabras: «En verdad, en verdad te digo que el que no naciere de agua y del Espíritu, no puede entrar en el Reino de Dios»... Todos sabemos que para nacer, el cuerpo físico pasa un período de nueve meses en el claustro materno dentro de una bolsa llena de agua que es la placenta. Así pues, confirma la necesidad de volver a nacer en cuerpo físico, o de carne, y con su correspondiente ego, o sea el espíritu. Y vuelve a repetirle: «No te maravilles que te dije: Os es necesario nacer otra vez».

¿Puede haber declaración más concreta, directa y objetiva sobre la Ley de Reencarnación? A través de la Biblia hay muchos ejemplos. Estos nos bastan. En los «Registros Acáshicos», plano cósmico en que está grabado todo cuanto ha sucedido y sucede en un mundo, plano que también es conocido por las escuelas iniciáticas con el nombre de «Memoria de la Naturaleza» y en el que se encuentran las fuentes de la Profecía, por encerrar en sus regiones superiores todo el pasado, el presente y el futuro, se puede ver cómo se enseñaban todas esas verdades suprafísicas a los primeros cristianos; y en los tiempos de las persecuciones romanas, en el secreto de las catacumbas y de las reuniones clandestinas, toda esa enseñanza fue la clave de la misteriosa fuerza demostrada por los miles de mártires cristianos, que marchaban a la muerte con la entereza, la serenidad y hasta en muchos casos la alegría de quien está seguro de que la muerte no es la destrucción final, y que a través de ella lo espera un futuro prometedor y bello.

Cabe, ahora, preguntarse: ¿Por qué se olvidó, ocultó y negó posteriormente la enseñanza de la Reencarnación en el Cristianismo? En efecto, a partir del primer Concilio Ecuménico de Nicea, en el año 325 de la nueva era cristiana, y de los posteriores concilios de esa centuria, cuando se inicia la vida pública y libre de la Iglesia, al amparo de los decretos del Emperador Constantino y con la ya naciente protección del Estado para la nueva religión, se va olvidando la enseñanza esotérica de aquella gran verdad del Cosmos, hasta perderse por completo en los siglos tenebrosos, de ignorancia y de superstición, de la Edad Media. No pretendemos investigar el misterio de su desaparición, del conjunto doctrinario que después se ha predicado a todos los cristianos en los siglos posteriores. Pero ahí están, en los evangelios, las palabras categóricas, las afirmaciones positivas de Jesucristo a Nicodemo sobre la necesidad ineludible de volver a nacer, de renacer, para poder llegar al Reino de Dios...

Y a medida que aumentaba el poder de la Iglesia, que se acrecentaban sus riquezas materiales y su dominio sobre las conciencias de los pueblos y de sus gobernantes, se difundían más los dogmas creados por los hombres, y se explicaban menos los grandes misterios del Cosmos, las profundas e inmutables leyes fundamentales de la Vida, que en pocos años transformaron en titanes a los primitivos cristianos, como lo pruebán las listas heroicas de los mártires del primero y segundo siglos. ¿Por qué se apartaron, en muchos aspectos de básica importancia, los gobernantes de la Iglesia del Medioevo, de la esencia y del camino trazado por el Salvador? Ejemplos de esto hay muchos en la historia. Que lo digan, si no, los ríos de sangre vertidos por los cruzados, en nombre del Dios del Amor, del Perdón, de la Paz y de la Confraternidad humana... ¿Cómo explicar esa abominable institución, sarcásticamente llamada la «Santa Inquisición»?... Y las aberraciones, crímenes y violencia practicadas hasta por Papas y Cardenales, entre el Medioevo y el Renacimiento, y que fueron la causa de los cismas protestantes y de las guerras de religión que, hasta hoy, enfrentan a unos cristianos contra otros, convirtiéndolos en fieras, como estamos todavía contemplando en la convulsionada Irlanda... Y todo esto, ¿en nombre de un Dios de Amor, de Paz y de Humildad...?

No seguiremos adelante. Sólo hemos querido hacer una ligerísima comparación entre nuestro «Cristianismo» y el cristianismo esotérico de los hombres de Ganímedes. Allí no existe el símbolo cristiano del Crucificado, porque en esa civilización no se crucificó jamás al Rey del Reino del Amor, de la Verdad y de la Luz, como lo crucificamos desde los días del Calvario hasta ahora, en todos los pueblos, en gran parte de las almas y de las instituciones de este mundo...

Por todo eso se reveló al discípulo vidente, en la isla de Patmos, el Apocalipsis, transcrito por San Juan. Y esa profecía tremenda, que ya se está cumpliendo, terminará muy pronto en los próximos treinta años; y en ella también está señalada la misión que, por designios del reino de la Luz Dorada, comienzan a cumplir, con sus continuas visitas a la Tierra, las astronaves del Reino de Munt. Faltan muy pocos años para que toda nuestra humanidad contemple absorta la llegada de numerosas escuadras que traerán a los superhombres de esa raza, en el desempeño de la misión apocalíptica para la que han sido designados, misión que trataremos de explicar en los próximos capítulos y que tiene la más íntima relación con el Juicio Final prometido por el Salvador.

CAPÍTULO 16

Relaciones extraterrestres con la tierra

En varias oportunidades nos hemos referido a continuas visitas realizadas a nuestro planeta por hombres de otros mundos. Ahora ha llegado el momento de explicar cómo, en realidad, muchas de ellas fueron más que simples visitas de estudio o de investigación. Con todo lo indicado hasta aquí, podrá el lector comprender mejor la estrecha relación existente entre las humanidades pobladoras de nuestro sistema solar, bajo la sabia y vigilante dirección de aquel reino central al que nos hemos referido como el «Reino de la Luz Dorada», y su Corte de Grandes Espíritus que toman el rumbo de la evolución de todo el conjunto, pese a lo que quieran pensar u opinar los hombres de la Tierra, muy en especial los ignorantes o maliciosos «fariseos» de las distintas religiones que durante siglos se pavonearon como «ministros de Dios», creando dogmas y mitos que hoy comienzan a desmoronarse ante el avance inexorable de la Verdad y de la Luz, para el mismo cumplimiento de los inmutables Planes Cósmicos dirigidos desde aquel Sublime Reino Central en donde asienta su Glorioso Poder el Sublime Señor a Quien ya hemos llamado varias veces: «Dios del Amor y del Perdón, Camino de la Luz, de la Verdad y de la Vida».

El origen de las razas

En los capítulos anteriores sólo hicimos referencias, simples esbozos de algunas de aquellas visitas. Ahora vamos a tratar de explicar un buen número de ellas, tomando como ejemplo las más notables y fáciles de entender, entre la gran cantidad de intervenciones que, para el mejor desarrollo de la vida inteligente en nuestro planeta, tuvieron en los primitivos albores de la civilización terrestre humanidades venidas de otros mundos.

En primer lugar, vamos a referirnos a un hecho capital, a un fenómeno innegable que, hasta hoy, no ha podido ser explicado satisfactoriamente ni por los antropólogos, arqueólogos, paleontólogos, ni menos por los sacerdotes de las distintas religiones: la variedad de razas en la Tierra. Si nuestra humanidad tuvo un mismo origen, si desciende toda –como la Biblia narra en el Génesis de Moisés– de una sola pareja original, Adán y Eva, primeros padres de todos los seres humanos, ¿cómo explicar la serie de contradicciones que brotan del texto bíblico, contradicciones imposibles de negar a quien estudie el Génesis con criterio científico imparcial?

Adán y Eva se nos muestran como pertenecientes a la raza blanca. Todos sus descendientes inmediatos, en la larga lista bíblica hasta Noé, poseen los caracteres morfológicos y antropomórficos distintivos de tal raza. Y si toda la humanidad fue exterminada por el Diluvio, lógico es que la nueva humanidad naciera de la descendencia directa de Noé. La ciencia nos demuestra que las leyes de la herencia no permiten manifestar caracteres diferentes mientras no medien elementos nuevos que introduzcan nuevas características raciales, o sea la mezcla de razas en la procreación de nuevos seres. ¿Cómo explicar, entonces, que de padres sin ninguna característica ajena a la raza blanca, hayan podido nacer la raza negra, la raza roja o cobriza y la raza amarilla?

La respuesta a tal enigma, que ha ocasionado centenarias discusiones y hasta muchos ateísmos, nos viene ahora desde Ganímedes. Adán no fue un hombre, un individuo, sino toda una raza: la blanca, última de las razas asentadas en la Tierra. Esto no contradice a la Biblia, porque todos los discípulos de las diferentes escuelas esotéricas saben que el Génesis, como la gran mayoría de los textos sagrados más antiguos, fue escrito en ciertas partes de manera simbólica. La creación del hombre allí aludida representa un amplio e infinito proceso cósmico, en que las figuras de los textos literales se refieren a fenómenos abstractos y sus consecuencias objetivas en diferentes planos de la Naturaleza. El polvo de la Tierra con que Dios aparece formando al hombre es la materia que forma todos los mundos en nuestro sistema planetario. Tiene los mismos componentes materiales, químicos y físicos, los mismos minerales que integran, como sabemos, nuestro cuerpo, y el espíritu infundido, a manera de «soplo» divino, sigue el proceso ya explicado cuando hablamos de la cuarta dimensión. Además, si conocemos el significado hebraico de la palabra Adam, veremos que es «Humanidad». Y esto lo encontramos también en el Génesis: en el capítulo 5, versículo 2, leemos: «Varón y hembra los crió; y los bendijo, el día en que todos fueron criados».

Si añadimos a esto la aparente contradicción que se advierte en los pasajes referentes al diálogo entre Dios y Caín, después del asesinato de Abel, en que Dios le pone marca a Caín para que no sea perseguido y matado al huir del Edén, ¿quién o quiénes podrían haber hecho eso, si sólo fueran Adán y Eva, con Caín, los únicos habitantes de la Tierra en ese momento? Y vemos también que Caín, según el capítulo 4, versículos 16 y 17, se dirigió a la tierra de Nod, donde conoció a la que fue su mujer y de la que tuvo a su hijo Henoch. Era, por tanto, otra región ya habitada por otros seres humanos. Esto prueba que no sólo Adán y su mujer eran los únicos habitantes del planeta... ¿Quiénes eran los otros, y de dónde habían salido?

Además, en el capítulo 6 del Génesis, versículo 2, leemos: «Viendo los hijos de Dios que las hijas de los hombres eran hermosas, tomáronse mujeres, escogiendo entre todas». Bien claro está que se trataba de dos tipos o razas de seres humanos, en este caso: «los Hijos de Dios» y «las hijas de los hombres». La explicación de tal galimatías es, sin embargo, muy sencilla. La raza adámica, o blanca, al llegar a la Tierra, encontró ya en ella a otras razas más viejas, o anteriores. Y ellas fueron, por orden cronológico, la raza lemúrica o negra, y la raza atlante o roja.

La raza negra puede decirse que fue la única autóctona de la Tierra. Tuvo su origen en un largo proceso evolutivo muy anterior a la llegada a nuestro planeta de los primeros representantes de lo que después fuera la raza atlante. Se desarrollaron principalmente en un continente hoy desaparecido. La Lemuria, que estaba ubicada en una gran extensión de lo que hoy es el Océano Pacífico. En un desarrollo de milenios, alcanzaron a diseminarse hasta las costas del sur de África, Australia y Nueva Zelanda son restos de aquel gran continente que desapareció bajo las aguas en una serie de cataclismos sucesivos en un período de más o menos diez mil años; su existencia tuvo lugar, probablemente, entre ochenta mil y cuarenta mil años atrás. En esa época, la Tierra aún mantenía dos lunas. La otra era de tamaño menor que la actual y giraba en una órbita más amplia, a casi el doble de distancia que la actual. Refieren los informes obtenidos por nuestro amigo en Ganímedes, que la influencia combinada proveniente de ambas lunas motivó un crecimiento notable del cuerpo físico en hombres y animales, y esto fue la causa de que en esos tiempos vivieran hombres gigantescos en el planeta. Por otra parte, esto se menciona también en la Biblia.

Esa luna más pequeña y más apartada, fue atraída violentamente por un gran cuerpo celeste que se cruzó con la Tierra hace aproximadamente treinta mil años. La influencia tremenda ejercida sobre nuestro astro por aquel insólito visitante fue, en realidad, la causa del tremendo cataclismo final que transformó la geografía de entonces. Muchas porciones superficiales, en distintos lugares del globo, se hundieron, siendo invadidas por las aguas que formaron nuevos mares. Y otras, hasta entonces sumergidas, emergieron. De esto la geología tiene abundantes pruebas, y muchos hombres de ciencia, y hasta simples particulares, han tenido oportunidad de ver y estudiar los extensos campos cubiertos con residuos marinos en diferentes lugares elevados de nuestros actuales continentes. En muchas cumbres de la Cordillera de los Andes; en el Altiplano de Perú y Bolivia, a más de cuatro mil metros de altura; en varios lugares de los Himalayas, entre cinco y siete mil metros de altitud y hasta en pleno centro del actual desierto del Sáhara, se encuentran abundantes sedimentos de conchas y toda clase de restos marinos que prueban cómo, en verdad, fueron fondos de mares desaparecidos.

La segunda raza, o sea la roja, fue de origen extraterrestre. Para ser más concretos, fue venusiana. En los albores de la nueva era, que comenzó para nosotros hace exactamente 28.760 años, fueron trasladados, en diferentes grupos y en un lapso de más o menos cien años, muchos de los habitantes del planeta Venus, por astronaves provenientes del Planeta Amarillo, del que nos hemos ocupado anteriormente. Las crónicas del Reino de Munt narran que en esos remotos años se estaba gestando en Venus terroríficos trastornos, mutaciones catastróficas y cambios ambientales que darían lugar a la extinción total de la vida en ese astro. Y que por mandato expreso de los sublimes seres gobernantes del Reino de la Luz Dorada, tuvieron que intervenir para salvar a la humanidad de aquel planeta. No era una humanidad tan adelantada como la de ellos. Pero ya tenían un grado bastante elevado en su civilización. No fue tarea fácil hacerles comprender tan extraordinaria misión, y vencer el temor que a la mayoría les inspiraba su presencia, descendiendo en máquinas de fuego desde los cielos enteramente nublados de Venus. Pero los más sabios pudieron entenderlos y darse cuenta del peligro. Así, por grupos, fueron siendo transportados a la Tierra, en donde se establecieron principalmente en el gran continente al que llamaron la «Tierra de Mu», la famosa Atlántida de los egipcios y de Platón. En el curso de los siglos, en un lapso de más o menos diez mil años, aquella raza pujante y sabia había desarrollado la gran civilización atlante, centralizando su poder en un extenso continente en que se asentaban diez reinos, como las más antiguas tradiciones egipcias y mayas nos recuerdan. Y en esas tradiciones se conservaba, hasta los tiempos más cercanos, la historia de aquel «pueblo bajado de los cielos», al que también conocían como el «País de Mu».

La existencia de la Atlántida, tan discutida hasta hoy, ha dejado profundas huellas en la gran mayoría de los pueblos antiguos de nuestro planeta. Sería muy largo, y fuera del tema de esta obra, pretender explicar la multitud de pruebas de todo orden que abonan su poderosa influencia en el mundo del pasado. Todas las religiones de esa etapa de evolución de nuestra humanidad; las costumbres, ritos, tradiciones de muchos pueblos, especialmente en las tres Américas; muchos de los hitos de civilización en los primitivos griegos, fenicios y etruscos; hasta en los actuales habitantes del Norte de África, recuerdan la influencia atlante en sus orígenes. Existe una gran bibliografía sobre el tema, a la que pueden recurrir quienes se interesen. Pero no está de más indicar que los atlantes, en su gran expansión por el mundo de ese entonces, llegaron hasta los confines del Norte de América, transpusieron el Mediterráneo y alcanzaron las riberas del Nilo y las entonces fértiles llanuras de la Mesopotamia y de toda la península arábiga.

Un reciente libro publicado por la arqueóloga alemana Karola Siebert, presenta abundancia de pruebas irrefutables de la presencia y de la influencia, netamente atlante y venusiana, de aquella raza y de su civilización en la costa occidental de América, especialmente en el Perú. La señora Siebert ha demostrado la existencia, en abundantes ruinas preincaicas, de los principales elementos rituales, simbólicos, tradicionales y hasta costumbristas, de aquellos hombres de origen venusiano. A este respecto es muy interesante conocer que en el Altiplano, entre Perú y Bolivia, en las famosas ruinas preincaicas de Tiahuanacu, se encuentra el monumento más antiguo del mundo: la Puerta del Sol, la que tiene esculpida en el centro la figura del dios rodeado por otras figuras con alas, clara alusión a seres alados o bajados del cielo, y que en tan formidable monumento existe, también esculpido, un calendario considerado como el más antiguo que se conoce, pues las pruebas con carbono 14 arrojan más de 15.000 años. Pero lo sorprendente de tal calendario es que representa el año venusiano, con los 255 días terrestres y los meses de 24 días, exactamente. Y merece citarse, igualmente, lo escrito hace muchos años por el famoso historiador, filósofo y sabio profesor de la Universidad de San Petersburgo, Dimitri Mereshkowsky, en su libro: «El Secreto del Oeste»: **«Los restos de la Atlántida sumergida se encuentran en el misterioso Egipto, México y en el Perú».**

Y ahora pasaremos a ocuparnos de la tercera raza: la raza de Adam, o blanca, llamada también caucásica, y que hace su aparición en la Tierra más o menos a mediados de nuestra actual etapa evolutiva, dentro del conocimiento cósmico de la existencia de ciclos, o «revoluciones cósmicas» con una duración de 28.791 años cada uno. A este respecto, la información obtenida desde Ganímedes por nuestro amigo es categórica. Refiere que los primitivos representantes de esa raza fueron traídos a la Tierra por astronaves del gran imperio que, más tarde, sería llamado «Reino de Munt», como hemos visto en capítulos anteriores. Le explicaron que en aquel tiempo, hace más o menos doce mil años, cuando aún perduraban en el Planeta Amarillo las últimas contiendas entre los dos poderosos bloques étnicos en que se dividían, como ya hemos visto anteriormente, un numeroso grupo de prisioneros del país vecino, que no podía ser asimilado a su civilización por no haber alcanzado el alto nivel moral requerido, fue trasladado a nuestro planeta, ubicándolo en los territorios entonces deshabitados pero fértiles y con abundancia de recursos naturales que ahora conocemos como Siria, Jordania e Irak. Esto explica hoy diferentes pasajes de la Biblia, entre ellos la expulsión del Edén de los primeros progenitores de esa raza, como castigo. Vinieron, en efecto, de un mundo superior. De un mundo en que se desarrollaba una civilización fácilmente comparable con un paraíso. Y venían a un mundo en que tendrían que «trabajar con el sudor de su frente», y en donde tendrían que «sufrir y sentir dolor» y en «donde conocerían la muerte», pues ya hemos visto que en el Reino de Munt, ésta ya no existe, como se ha explicado en capítulos anteriores.

Todo ello concuerda, amplia y lógicamente, con el relato bíblico. Y ahora vamos a ver también la explicación que han dado aquellos superhombres a distintos casos referidos por el Antiguo Testamento, comprobando así la permanente intervención que tuvieron en el desarrollo y evolución de esa raza en nuestra Tierra. Previamente hemos de añadir que se le explicó a Pepe que siempre actuaron y actúan por orden y dirección de los Supremos Señores del Reino de la Luz Dorada. Pero antes de pasar al siguiente punto, debemos anotar que poco tiempo después de traer aquel primer grupo de «emigrantes», trasladaron también otro grupo al que dejaron en las costas septentrionales del Mar Negro, en la región comprendida entre las desembocaduras de los ríos Dnieper y Danubio. Este segundo núcleo de seres de raza blanca fue el que, al extenderse con el correr de los siglos, subiendo por las márgenes de ambos ríos, poblaron toda Europa.

La desviación del Nilo

La formidable civilización del antiguo Egipto no habría existido jamás, de no mediar la intervención de aquella súper raza extraterrestre en los destinos de nuestra humanidad. Siempre se ha dicho que Egipto era un producto del Nilo. Pero en esos remotísimos tiempos el Nilo no recorría lo que después sería poderoso imperio de los Faraones. El extenso y caudaloso río que tiene sus fuentes en los territorios de lo que hoy son Uganda y Etiopía, llegaba hasta más al norte de la primera catarata, en la región en que ahora se levanta la gran presa de Asuán. De allí se desviaba en dirección al Mar Rojo, desembocando en él. Toda la región ocupada por Egipto era desierto, continuación del de Libia, con la sola excepción de una estrecha zona fértil limitada por los desiertos de Nubia y Libia, que se extendía hasta cerca del lugar en que hoy se asienta la población de El Qoseir en la ribera del Mar Rojo, siguiendo el curso original del Nilo.

Mil quinientos años más tarde, cuando ya los pobladores de esa región de la Tierra se habían multiplicado y formado grandes tribus –algunas de las cuales llegaron a ponerse en contacto con descendientes de la raza lemuriana y de la raza atlante– los Sublimes Señores del Reino de la Luz Dorada ordenaron al pueblo que después sería el Reino de Munt, volver a la Tierra a preparar el asentamiento de lo que, en los Planes Cósmicos, debía ser la gran civilización egipcia. Durante un tiempo se realizaron los estudios correspondientes, y se decidió desviar el río Nilo antes del gran recodo que formaba al norte de la primera catarata, para llevarlo a través del desierto hasta desembocar en lo que hoy es el Mar Mediterráneo. Enormes astronaves condujeron ingenieros, máquinas y equipos hasta la zona escogida. Un grupo de técnicos extraterrestres se encargaron de educar a los atemorizados pobladores primitivos, que después de los primeros días de terror, los adoraron como dioses, y sirvieron de obreros en la obra. Al cabo de pocos años, por los formidables medios con que contaban, se había abierto el nuevo cauce y los cinco canales simétricos que iban a constituir el gran Delta. El antiguo cauce de desagüe en el Mar Rojo fue anulado y el tiempo se encargó de cubrirlo totalmente. Una pequeña carga nuclear desmoronó la barrera natural que separaba el Nilo de su nuevo curso, y el gigantesco río corrió, desde entonces, a través de lo que, siglos más tarde, iba a ser el gran imperio de los Faraones, y el centro inicial de las grandes escuelas esotéricas del futuro... Cumplida su misión, los hombres, los equipos y las máquinas retornaron a su planeta de origen.

La fundación del imperio egipcio

Muchos han sido los problemas que durante siglos preocuparon a los hombres de ciencia que estudiaran la civilización egipcia. Algunos fueron resueltos a la luz de modernos descubrimientos. Otros quedaron sin respuesta hasta hoy. Entre estos últimos figuraba el enigma del sorprendente desarrollo de ese pueblo en, relativamente, pocos lustros. Sociólogos, historiadores, arqueólogos y filósofos no atinaron a imaginar cuál pudo ser la causa a la que se debía que los egipcios representaran un fenómeno de evolución completamente distinto a todos los demás pueblos. En todas partes, en todas las razas y civilizaciones más remotas, se advierte el proceso lento y escalonado, sucesivo en sus diferentes gradaciones, desde los niveles más primitivos hasta el apogeo de sus culturas respectivas, en la variada gama de matices que ofrece al investigador estudioso la marcha de cualquier grupo humano en la historia de nuestra humanidad.

Pero con los egipcios no pasó eso. El país de los Faraones resulta un caso único. Hasta hace más o menos ocho mil años, en las riberas del Nilo se encontraban tribus dispersas, con un nivel de vida y de cultura muy pobres, como lo demuestran los restos arqueológicos de esa época. Poseían solo rudimentarios elementos, cerámica tosca y modestas construcciones de adobe sin mayores alardes de cultura. Pero de pronto, únicamente en el transcurso de un par de centurias, empieza a florecer allí una sorprendente civilización.

Comienzan a construirse grandes ciudades, con edificios de piedra que cada vez asumen formas y estructuras más notables, hasta llegar, en poco tiempo, a la asombrosa demostración de adelanto que ha llegado a causar el respeto y la admiración de los hombres cultos de todos los países y de nuestros sabios modernos.

¿Qué sucedió en Egipto entre el octavo y el séptimo milenio de nuestra era actual?... También desde Ganímedes nos viene la respuesta. Recordemos que ya, tres mil años antes, la súper raza extraterrestre había preparado las bases con la desviación del Nilo. Pero en esa época empezaron a presentarse en el Planeta Amarillo los primeros síntomas de su futura desintegración, como se ha explicado al ocuparnos de la historia del Reino de Munt. Era precisamente el comienzo del reinado de aquel portentoso soberano. Y, por tal razón, terminada la misión que se les había encomendado en la Tierra, se dedicaron exclusivamente a sus propios y urgentes problemas. Ya hemos visto en la tercera parte lo referente a su traslado al satélite de Júpiter y la destrucción del Planeta Amarillo. En ese periodo de cerca de tres mil años de los nuestros, estuvieron muy atareados en adaptar su nuevo mundo a la perfecta evolución de su civilización, y no vinieron a la Tierra.

Pero una vez satisfechos con su nueva morada, recibieron del Sol otra misión: fundar la gran civilización del Nilo.

Debemos recordar que la historia del antiguo Egipto es perfectamente conocida, por la abundancia de documentos de todas las épocas, en que se narra minuciosamente el progreso de ese gran pueblo. Y se conoce al detalle el desarrollo evolutivo de tan formidable civilización, desde los tiempos del Rey Menes, fundador oficial de la primera dinastía, que en el año 5.004 antes de Cristo, establece la organización política y administrativa que habría de perdurar a través de las veintiséis dinastías que, oficialmente reconocidas como tales, rigen en el Valle del Nilo hasta ser conquistado por Cambises, Rey de Persia, en el año 527 antes de nuestra era cristiana; cinco dinastías más, de origen extranjero, completan la serie de 31 que termina con la dominación de Egipto por los romanos.

Pero también es históricamente conocido que al asumir Menes el poder soberano del Egipto, encuentra ya un país organizado, con una civilización floreciente y un gobierno teocrático ejercido por la casta sacerdotal, que en un lapso indefinido de tiempo, había establecido ya las bases de la cultura, religión, economía y administración de todo el país, que son continuadas por Menes y sus sucesores durante más de cinco mil años. Esa etapa anterior a la de los Faraones que comienza con Menes, está señalada en la tradición y escritos antiquísimos como el tiempo en que ese pueblo fuera gobernado por los **«dioses bajados del cielo»**. No se fija, con exactitud, cuánto duró aquella primera etapa. Los egipcios no acostumbraban a señalar cronológicamente los tiempos de forma correlativa. Preferían relatar los hechos correspondientes a cada período gubernamental, refiriéndolos al personaje gobernante. Y en esa lejana época, no existen datos concretos que permitan identificar todavía a los personajes. Por eso aquel período en que se manifiesta, claramente, un tipo de gobierno manejado por seres divinos, que delegan sus poderes a los sacerdotes gobernantes pero sin descuidar su control directo, ha parecido a muchos una etapa legendaria o mítica de la historia del Egipto. Pero los hechos comprueban que no hubo tal leyenda, y que los aparentes mitos han sido la transcripción pintoresca en la forma, pero exacta en el fondo, referente a un periodo de más o menos mil años durante los cuales se convirtió a las tribus dispersas entre las regiones del Bajo y Alto Nilo, de núcleos humanos dispersos y desorganizados, en un floreciente imperio que en los tiempos de Menes ya contaba con importantes ciudades, en las que se levantaban magníficos templos y majestuosos monumentos.

Uno de éstos –posiblemente el más notable por muchos conceptos– fue la Esfinge. Esta formidable y enigmática figura, gigantesca mole de granito que se levanta hoy en las arenas próximas a El

Cairo, junto con las tres grandes pirámides de Keops, Kefren y Micerino, ha causado el asombro de miles de generaciones y ha mantenido en el más estricto secreto el misterio de su origen y el de los fines para los que fue construida. Ahora, el «Secreto de la Esfinge» –como se mencionó por largos siglos a tan enigmático monumento– llega a su fin con las explicaciones que nos vienen de Ganímedes. Ellos –los hombres del Reino de Munt– fueron sus constructores. Mejor dicho, los arquitectos que dirigieron la obra. Se ubicó en un lugar solitario, frente al Nilo, como templo iniciático y sede hermética de los primeros «Hermanos de la Esfinge», aquella fraternidad oculta tantas veces mencionada en este libro. En ella se preparaba a los sacerdotes escogidos como los más capacitados para gobernar el naciente imperio, y más tarde, al correr de los siglos, cuando ya había desaparecido el primitivo gobierno teocrático, siguió siendo el lugar de reunión y de instrucción de los miembros de esa escuela de sabiduría cósmica. Desde los tiempos de la tercera dinastía pudieron ingresar en ella miembros laicos, y así tuvo Egipto, posteriormente, sabios portentosos ajenos por completo a la orgullosa casta sacerdotal que, durante milenios, trató siempre de dominar a los Faraones, sucesores de Menes.

Hasta hoy no se ha descubierto el verdadero sentido de la Esfinge, en gran parte debido a la inquina o negligencia por remover los miles de toneladas de arena bajo las que duerme su sueño de siglos el templo iniciático y todas las dependencias, muchas de ellas cámaras secretas, utilizadas por los Hermanos de la Orden en su vida institucional. ¿Cuántos tesoros culturales podría hallar nuestra humanidad si se descubriera tan misteriosos recintos?... De allí salieron hombres que marcaron hitos en la historia de toda la Tierra. Entre ellos, el famoso Moisés de la Biblia. Y también, la enigmática y sapientísima personalidad conocida en los tiempos de la cuarta dinastía con el nombre de Imhotep, el famoso arquitecto constructor de la Gran Pirámide, ubicada a corta distancia de la Esfinge, que ya por aquel entonces, era vecina a la gran capital del Bajo Egipto —Menfis— levantada con tal fin por Menes, en las cercanías del misterioso monumento.

No vamos a detenernos más en estos puntos. Hay todavía mucho por explicar sobre misiones terrenas de aquella raza extraterrestre; por tanto, vamos a ocuparnos ahora de otras misiones, todas ellas trascendentales para el desarrollo y evolución del hombre en nuestro planeta.

La destrucción de Sodoma y Gomorra

Ya hoy día muchos hombres de ciencia han afirmado que la destrucción de las dos ciudades, llamadas «malditas», se debió al empleo de bombas atómicas del tipo de las que aniquilaron Nagasaki e Hiroshima. Entre ellos el físico soviético Alexei Kazantzev y el profesor, también ruso, Agrest, participan de esa opinión y este último ha presentado como pruebas de su aserto las *tecticas* encontradas en aquella región, materiales rocosos que todos los físicos nucleares saben que sólo pueden formarse a consecuencia de reacciones atómicas.

Los hombres del Reino de Munt explicaron este caso como el cumplimiento de otra misión que les fuera encomendada por los sublimes «Señores de la Faz Resplandeciente» para castigar el desenfreno y abominable corrupción reinante en aquellas ciudades, que amenazaba con extenderse al resto de los nuevos pueblos escogidos para el futuro desarrollo de la humanidad terrestre. Era un escarmiento que pretendía servir de lección.

Los varones considerados ángeles en la Biblia, que visitaron a Lot y lo previnieron para abandonar esos lugares, eran miembros de la tripulación de una astronave de las del tipo de seis tripulantes. El mismo Génesis confirma los poderes extraordinarios que tenían, que les permitieron defenderse de la multitud sodomita con un simple ademán que cegó a todos los que pretendían violarlos, pudiendo escapar en compañía de Lot y su familia. Después, cuando estos últimos estuvieron a salvo y a prudente distancia, regresaron ellos a su máquina oculta tras una loma. Una bomba termonuclear sobre cada una de las ciudades las hizo pasar a la historia...

El paso del mar Rojo

Uno de los pasajes más notables de la Biblia es el referente a la huida de Israel, perseguido por el ejército de Faraón, a través de las aguas del Mar Bermejo como ellos lo llamaban. Muchas discusiones ha habido sobre el tema. Y muchos hombres de ciencia materialistas han creído ver en él una fábula inventada por Moisés. Pero la verdad del hecho histórico no puede refutarse. Los judíos salieron de Egipto y atravesaron el Mar Rojo por su parte más estrecha, que separa África de la Península del Sinaí. La misma historia egipcia lo confirma. Y no lo hicieron en barcas, puesto que no las tenían. El Éxodo lo refiere con todo lujo de detalles. Y el prodigio le costó al Faraón lo más granado de sus tropas. Todo ello se conoce desde los más remotos siglos y no perderemos tiempo en repetirlo. Pero, veamos ahora cómo nos han explicado los superhombres de Ganímedes la sucesión de hechos portentosos que tuvieron lugar en aquel episodio.

Los israelitas habían acampado en la margen occidental del Mar Rojo, conducidos hasta ahí por la famosa columna de humo que los guiara constantemente en todo el éxodo. Esta nube, que de día era una gigantesca columna de humo y de noche, de fuego, marchaba siempre a la cabeza del pueblo, y aquel día se encontraba detenida sobre la ribera del mar. Al percatarse los judíos de que por el desierto se acercaba velozmente el ejército egipcio, cundió el pánico, tal como lo refiere la Biblia. Pero también narra que, en esos momentos, la columna de humo se puso en movimiento, colocándose a espaldas del pueblo, entre éste y el lugar por donde habrían de llegar las tropas de Faraón. Moisés calmó los ánimos, asegurándoles que «Jehová los defendería»... Y comenzaron los prodigios. De la nube de humo salieron rayos y se estableció una espesa cortina tenebrosa de humo y fuego que separó a los egipcios de los israelitas. De aquella gigantesca cortina partían rayos y truenos y tan amenazante espectáculo detuvo a los egipcios que, atemorizados, empezaron a gritar que Jehová estaba defendiendo a su pueblo. Esta situación se prolongó todo el día. Mientras tanto se formaban grandes nubes desde la playa y sobre el mar en dirección a las riberas opuestas. Durante la noche un viento huracanado azotó las aguas en toda la zona fronteriza. Los israelitas estaban pasmados y temblaban ante aquellos fenómenos. Sus enemigos continuaban detenidos al otro lado de la barrera flamígera. Con las primeras luces del nuevo día un grito de asombro partió de todo el campamento: el mar estaba dividido, formando las aguas como altas murallas a ambos lados de un amplio corredor o pasaje. Moisés ordenó a los suyos que lo siguieran y penetró por el centro del providencial camino en busca de la otra lejana orilla. Al ver eso, no sin dejar de temer, los demás siguieron tras él, marchando apretujados por el centro seco de aquel sendero constituido por el fondo del Mar Rojo. Con terror miraban a ambos lados las murallas líquidas y trepidantes, como si estuvieran contenidas por tupidas y poderosas mallas de gigantescas redes invisibles. Cuando ya todos los israelitas se encontraban atravesando el mar, a pie firme, la columna de humo que los protegía se movilizó, desapareciendo la cortina de fuego que separaba los dos campos. Esta vez fueron los egipcios los que lanzaron grandes voces ante el espectáculo que presenciaban. Detenidos en la playa, presa del terror que tal prodigio les infundía, no se atrevían a avanzar tras los judíos que se iban alejando en busca de la otra orilla. Pero sus jefes, más audaces, viendo que la presa se les escapaba, lograron imponerse. Los carros y caballería empezaron a entrar en tan insólito corredor y viendo que no les sucedía nada, el resto de las tropas los siguió. Los israelitas estaban ya cerca de las otras riberas, y a todo correr las alcanzaron cuando los soldados de Faraón llegaban al centro del mar. De la columna de humo que protegía a los judíos comenzaron a partir rayos que destrozaban las ruedas de los carros, mataban a los caballos y jinetes, deteniendo a todo el ejército. El pánico se apoderó de todos. Pretendieron volverse atrás. Pero en aquel momento las murallas líquidas se deshicieron como gigantescas cataratas y todas las tropas fueron sepultadas por las aguas del Mar Rojo.

Los hombres de Ganímedes explican así todos estos fenómenos: tenían la misión de los Sublimes Señores del Reino de la Luz Dorada, de proteger y salvar al pueblo de Moisés para fines ulteriores en el desarrollo de los Planes Cósmicos, en cuanto a la evolución de la humanidad terrestre. Moisés, como secreto Hermano de la Esfinge, poseía la sabiduría y conocimientos necesarios para poder comunicarse con ellos. Así, desde los momentos en que luchó por conseguir que el Faraón los dejara salir de Egipto, sabía que contaría con su ayuda. Pero no podía revelar a un pueblo tan ignorante y atrasado en todo concepto, las grandes verdades científicas y cósmicas que él, por su iniciación, sabía cómo utilizar. Al no poder explicar muchas cosas ocultas, secretos obtenidos de la manera tradicional y extremadamente rigurosa de su hermandad iniciática, se vio obligado a atribuirlo a la figura del dios Jehová, personaje que, según analizaremos después, tuvo muchos aspectos poco divinos en su larga intervención en la vida y religión del pueblo israelita.

Así pues, desde la salida de Egipto, estuvieron acompañados y guiados por aquella famosa nube en forma de columna, de humo durante el día y de fuego por las noches, en la que se «encerraba Jehová» y que los protegió como ya vimos para el paso del Mar Bermejo. Tal nube, en realidad, fue siempre una astronave de las del tipo pequeño que ya conocemos, que se presentaba envuelta por una nube gaseosa para no aterrorizar a los primitivos e ignorantes judíos, más dados a aceptar explicaciones de tipo sobrenatural, divino o fabuloso, que a comprender hechos y verdades científicas que, incluso hoy, son difíciles de entender para muchos. Y ya sabemos que por las noches aparecía como una nube de fuego, fenómeno que no necesita mayor explicación ahora.

En cuanto a la separación de las aguas del mar, dicen que se utilizó la fuerza combinada de una de sus bases espaciales y seis astronaves de las del tipo grande, ya descrito anteriormente, que se colocaron a conveniente altura, en fila india, teniendo tres máquinas en cada extremo y la base en el centro, sobre toda la extensión del brazo de mar que separa las costas de esa zona. Esa fue la gigantesca nube que cubría todo el corredor formado pos las aguas separadas. Este fenómeno se logró mediante el empleo de poderosas fuerzas electromagnéticas en combinación con fuerzas vivas de la Cuarta Dimensión que, anulando la gravitación de las aguas, suspendiéndolas como las suspenden las trombas marinas en los grandes tifones, y manteniendo una cohesión molecular parecida a la de los bloques de hielo en ambas «murallas» acuáticas, lograron el efecto perseguido y lo mantuvieron durante todo el tiempo que fue necesario... En cuanto al ataque a los carros y caballería, lo realizó la máquina pequeña con sus propios y simples elementos defensivos-ofensivos, armas incomprensibles todavía por nosotros a las que nos hemos referido en un capítulo anterior y que los hombres del Reino de Munt no parecen estar dispuestos a explicar en detalle...

Visitas de Moisés a la cumbre del Sinaí

Durante todo el tiempo que los israelitas acamparon al pie del Monte Sinaí, fueron muchas las veces que Moisés subió a la cumbre. Siempre lo hizo solo, excepto la ocasión en que lo acompañó su hermano Aarón, destinado a ser el Sumo Sacerdote. Nadie se atrevió jamás a subir tras él, porque ello estaba penado con la muerte.

Y siempre, en tales casos, era llamado desde la cumbre, que en esos momentos estaba cubierta por una gran nube resplandeciente, con rayos y truenos que aterrorizaban al pueblo. Cuando regresaba Moisés, traía los mensajes «que le daba Jehová».

...Es fácil comprender ahora que se trataba de una astronave en cumplimiento de misiones de enseñanza, para ir estructurando las bases culturales y religiosas que se proponía inculcar en el alma de los israelitas. Una de aquellas visitas duró «cuarenta días y cuarenta noches». Todo el pueblo vio que Moisés penetraba en la espesa nube que cubría la cumbre y luego la nube se alejó... Fue un viaje al Reino de Munt, donde aprendió muchas nuevas lecciones y de donde trajo, ya grabadas, Las Tablas de la Ley...

Es ya ampliamente conocido que al retornar, ese pueblo ignorante, rebelde, lúbrico y codicioso, en la tradicional anarquía que siempre lo caracterizó, le había vuelto la espalda y, en medio de una formidable orgía, estaba adorando al Becerro de Oro...

EL «Maná» del cielo

La Biblia nos dice que durante los cuarenta años que duró la permanencia de los israelitas en el desierto, estuvieron recibiendo diariamente del cielo su ración de «maná». Estaba constituido por unas bolitas de sustancia parecida al pan, que todas las mañanas aparecía cubriendo el suelo de su campamento, en cantidad suficiente para todos. Los hombres de Munt explican este hecho manifestando que se trataba de un material alimenticio común entre ellos, con alto contenido en proteínas, carbohidratos y minerales vitaminados, provenientes de su reino vegetal, con elevado poder nutritivo, que elabora continuamente su industria manufacturera desde los más remotos tiempos. Era transportado en grandes cantidades desde su Reino hasta una de sus bases espaciales, ubicada a más o menos 12.000 kilómetros de altura sobre nuestro planeta. Se llevaba en grandes envases herméticamente cerrados para evitar su descomposición, y lo almacenaban en las grandes bodegas de la base, de donde se extraía la cantidad necesaria para el suministro diario, de lo que se encargaba una de las grandes astronaves de carga con base en dicha estación espacial, la que en las postreras horas de la madrugada, en pocos minutos bajaba hasta escasa altura sobre el campamento, envolviéndose siempre en la consabida nube de humo, arrojaba el cargamento en un lento vuelo circular, y retornaba a su base.

Construcción del «Arca de la Alianza»

Entre los muchos objetos fabricados en esa época bajo la dirección de Moisés para el nuevo culto de la naciente religión, el principal fue el Arca de la Alianza, o «Santuario secreto de Jehová». Las enseñanzas místicas primitivas afirmadas luego por la tradición, lo hacían aparecer como el lugar sacratísimo en el que se encerraba el Dios de los Israelitas, lugar al que nadie podía tener acceso, excepto el Sumo Sacerdote en determinadas ocasiones. Sobre tal condición pesaba, nada menos, que la pena de muerte, y esta sanción se ejecutó de manera maravillosa e impresionante varias veces, como en el episodio de aquel oficial del rey David, quien al ver que los cargadores del Arca habían tropezado, temiendo que el Santuario cayese a la tierra, lo agarró con la más sana intención: un rayo fulgurante partió del arca y el oficial cayó fulminado...

En esas remotas épocas un hecho así era prodigioso. Venía a confirmar la presencia de aquel dios iracundo y muchas veces cruel en el interior del artefacto. Un pueblo ignorante no podía encontrar otra explicación a fenómenos de tal naturaleza que las maravillosas y fantásticas ofrecidas por los sacerdotes, cuyo jefe era el único poseedor del secreto. Este, en realidad, era muy simple: el Arca según se expresa detalladamente en la Biblia estaba recubierta enteramente de oro, por dentro y fuera. En su construcción (lo que no se dice en ninguno de los libros de Moisés) intervinieron instrucciones secretas recibidas en el Reino de Munt para convertir aquel objeto de culto en un poderoso elemento generador de electricidad. Convenientemente ocultas en la estructura interior había pilas formando una potente batería acumuladora de fuerza, la que se manifestaba, a veces, en ciertas ceremonias, como chispas y destellos fulgurantes, atribuidos a la divinidad que en ella se encerraba. En aquellos tiempos no se conocía la electricidad ni cómo producirla. Ello sólo era privilegio de los «iniciados» de algunas escuelas esotéricas. Y Moisés fue uno de los Hermanos de la Esfinge, los más adelantados en aquel terreno. De tal manera, no fue difícil concebir un artefacto que, dentro de un concepto mítico inspirado por el deseo y la necesidad de impulsar a su pueblo por el camino de la superación, se viera obligado a emplear una serie de trucos y estratagemas, únicas formas de dominar la tremenda rebeldía y los poderosos impulsos hacia el vicio y las bajas pasiones que tanto dominaron, durante siglos, a los israelitas.

Estando el Arca revestida de oro, metal conductor, puesto en contacto directo con los acumuladores de su interior, mediante un dispositivo hábilmente disimulado y sólo conocido por el sumo sacerdote quien podía conectar o desconectar el paso de corriente a voluntad, es fácil comprender que cualquier neófito que se atreviera a tocar el Arca recibiría, instantáneamente, una descarga mortal, como le sucedió al oficial de David. Y las pilas, de un tipo de alta potencia, eran proporcionadas por los hombres de Ganímedes. En aquel entonces, el fin justificaba los medios...

Visitas de profetas al Reino de Munt

No sólo Moisés tuvo el privilegio de conocer el mundo maravilloso organizado en el satélite de Júpiter. Muchas de las grandes figuras representativas del progreso cultural, moral y religioso de la humanidad terrestre, tuvieron esa oportunidad, en diferentes épocas y lugares. La lista es muy larga, pues se reparte entre todos los pueblos de la tierra. Para detallar todos y cada uno de los casos, necesitaríamos ocupar un volumen especial, tan extenso como este libro en su integridad. Tal vez podamos hacerlo andando el tiempo. Mas ahora, debemos ceñirnos al desarrollo del tema principal que motiva esta obra, que en realidad, viene a ser un mensaje extraordinario debido al momento histórico y apocalíptico en que se encuentra nuestra humanidad.

Entre los muchos nombres que podríamos citar de esa larga lista, mencionaremos a Imhotep, Henoch y Elías, El Señor Buda, Zoroastro, Lao-Tsé y Confucio.

Imhotep, a quien nos referimos al tratar sobre la historia de Egipto, fue el sabio constructor de la Gran Pirámide de Keops. Fue un Hermano de la Esfinge y su admirable sabiduría, demostrada por las maravillas de ese milenario monumento, tuvo confirmación y refuerzo objetivo en varias visitas realizadas secretamente al Reino de Munt. Vivió más de doscientos cincuenta años y su muerte fue un misterio, pues siendo personaje tan notable, nadie ha sabido hasta hoy en dónde fue sepultado. La verdad es que al término de su misión en la Tierra lo llevaron a Ganímedes.

Los profetas Henoch y Elías, tan mencionados en el Antiguo Testamento, también fueron conducidos al Reino de Munt, como se confirma en los textos bíblicos al narrar que «fueron llevados al cielo en carros de fuego».

En cuanto al Señor Buda, o sea el príncipe Sidharta Gautama, o Sakia-Muni como también se le llamó, fundador del budismo, es figura tan conocida en la historia que no precisa mayores referencias personales. Pero en el Reino de Munt existen las pruebas de que tal personaje visitó su mundo, conducido para estudio y comprobación de las grandes verdades cósmicas y eternas que después fueron la base de su elevada doctrina, tan parecida en la esencia, elevación y pureza, a las enseñanzas posteriores de Cristo.

La figura grandiosa de Zoroastro, o Zarathustra, autor del conjunto de libros sagrados conocidos como Send-Avesta, pilares fundamentales de la religión mazdeísta de la antigua Persia, la más elevada y noble por su alta moral, por la profundidad y sabiduría de sus conceptos básicos en cuanto a la interpretación simbólica o alegórica de las grandes verdades cósmicas, guarda una estrecha relación fundamental con los mismos principios esenciales que encontramos en la religión mosaica, en el budismo y en el cristianismo primitivo y sustancial. Aunque el ropaje de que hacen gala, en mitos y ceremoniales cada una de estas grandes religiones pueda ser diferente, por las distancias que las separan en tiempo y ambientes de desarrollo, tales diferencias revelan al analista imparcial que son el producto exclusivo de la intervención de los hombres y de las costumbres de cada lugar y época. Pero la esencia de todas ellas es la misma, lo que prueba lógicamente la uniformidad de origen.

Y si la comparación es llevada hasta esa otra gran doctrina constituida por el conjunto de enseñanzas de los grandes filósofos chinos Lao-Tsé y Kung-Fu-Tsé, más conocido en occidente por la derivación latina del nombre, Confucio, ambos anteriores a Cristo, desembocamos en la sorprendente analogía de los principios fundamentales de moral, de estímulo a la virtud, a la pureza de pensamiento y de conducta, a las prácticas más bellas y más nobles, más fraternas y elevadas para el trato y la mutua convivencia entre todos los seres humanos. Todo esto, en el fondo, no es otra cosa que lo ya descrito, en capítulos anteriores, sobre la cultura y religión que reinan en Ganímedes.

No es extraño, por tanto, que los superhombres del Reino de Munt hayan asegurado haber sido los intermediarios encargados, en distintas épocas y diferentes lugares y pueblos de la Tierra, de facilitar la difusión de las doctrinas y enseñanzas emanadas de aquel Sublime Reino de la Luz Dorada, de aquellos Grandes Espíritus gobernados directamente por el Supremo Rey del Sol a Quien llamamos en la Tierra El Cristo...

En los próximos capítulos, al explicar los pormenores de la trascendental Misión que ahora, después de largos siglos, motiva su regreso a nuestro mundo, tendremos oportunidad de ampliar conceptos y opiniones acerca de todos esos puntos. Nos queda, solamente, ocuparnos en éste de otra visita importantísima, realizada hace casi dos mil años, y que, en realidad, obedeció a los preliminares preparativos de la Gran Misión Actual.

El enigma de la «Estrella de Belén»

La Historia y el Nuevo Testamento, en la Biblia, nos refieren que «unos magos, llegados del Oriente», visitaron al Rey Herodes para preguntarle por «el nuevo Rey de los judíos» nacido en tierras de Judea. San Mateo, en su Evangelio, nos dice que en esa entrevista aquellos magos se expresaron así: «¿Dónde está el Rey de los judíos que ha nacido? Porque su estrella hemos visto en el Oriente y venimos a adorarle». Y en el curso de los siguientes versículos del Cap. 2, narra cómo esos magos, después de hablar nuevamente con Herodes, vuelven a ver la mencionada estrella que los va guiando hasta Belén, y que se detiene exactamente sobre el pesebre en que se hallaba el Niño Jesús y sus padres.

A la luz de nuestros modernos conocimientos científicos, muchos se han hecho esta pregunta: ¿era una estrella lo que anunció en Oriente el nacimiento a los Magos, y lo que los condujo hasta

Belén? La Astronomía, la Mecánica Celeste y la actual Ciencia del Espacio nos demuestran la imposibilidad de que se tratara de una estrella o cualquier otro tipo de astro. De su existencia en la época nos da pruebas la Historia, que conserva las huellas del tremendo impacto causado en Jerusalén por la visita de los Magos a Herodes y toda la secuela de consecuencias que se derivaron de ella, hasta la terrible matanza de niños ordenada por el déspota. También nos la afirma la Biblia, y es presenciada, además, por multitud de pastores que llegan hasta Belén con el mismo propósito de los Magos. Pero hoy, ya no podemos aceptar la idea de una estrella, ni de un cometa, ni siquiera la de un satélite, sateloide o meteorito. Si analizamos los textos bíblicos encontramos que la forma en que se refieren a esa «estrella» nos aparta, por completo, del concepto comprobado sobre todo cuerpo celeste común y corriente. Todos los astros conocidos están sujetos a leyes universales que regulan su equilibrada y matemática marcha en el espacio. Todos siguen, perpetuamente, las trayectorias trazadas por la Naturaleza, y si alguno se apartara de su órbita, significaría catástrofes astronómicas. Sin embargo, aquellos Magos del Oriente mencionan haber realizado su viaje porque **«esa estrella les anunció en su tierra»** un hecho digno de su máxima adoración. Y esa «estrella», posteriomente, en Judea, vuelve a presentarse y los va guiando hacia un lugar determinado, al lento paso de los camellos y caballos, y sobre ese lugar se detiene y se mantiene suspendida en el espacio.

Si comparamos estos hechos con las ya conocidas maniobras de los OVNIS en nuestros días, encontramos coincidencias que pueden llevarnos a deducciones muy interesantes. En primer lugar, en aquellos tiempos cualquier punto luminoso en el firmamento era considerado una estrella. Y si la magnitud de su luminosidad era suficiente como para impresionar a muchos, con mayor razón. Ahora bien, sabemos que los ovnis pueden ser confundidos a cierta distancia con luminarias celestes; y todos sabemos ya que se pueden mantener estáticos en el espacio, y recorrer el cielo a diferentes velocidades, desde las más vertiginosas, imposibles de alcanzar aún por nuestras astronaves, hasta las de menor intensidad, parándose o avanzando en cualquier dirección a voluntad. ¿No es ésta, exactamente, la forma en que nos presenta el texto bíblico a la «estrella» de Belén?... Siempre se representó a la misma detenida sobre el pesebre del Niño Dios, lanzando un haz de rayos que iluminan el lugar. Ya sabemos, también, que aquellas máquinas extraterrestres han sido vistas de la misma forma: detenidas en el espacio, inmóviles a cierta altura del suelo, iluminando con un potente haz de luz el sitio sobre el que se encontraban...

Entonces cabe preguntarse ¿fue una nave extraterrestre la que anunció el nacimiento de Jesús a los Magos en su distante país, y la que los guió, posteriormente, hasta el pesebre? La respuesta es obvia. Ellos habían afirmado, categóricamente, que la «estrella» les anunció en su tierra el nacimiento del Niño y su condición de «nuevo Rey de los Judíos»... Y una estrella no habla para anunciar tales cosas... Por tanto, la conclusión lógica es evidente: fue una astronave tripulada por seres capaces de realizar tal anuncio y guiar, más tarde, al grupo de Magos hasta su destino.

Pero una conclusión de tal naturaleza nos abre nuevos interrogantes: si aquellos magos del Oriente fueron buscados y conducidos así por seres extraterrestres, ¿quiénes eran esos Magos para ser solicitados de manera tan especial y para realizar un viaje tan largo y penoso por tal motivo? La Historia y la Biblia no nos dan detalles al respecto. Sólo se dice que llegaron a Jerusalén desde lejanas tierras del Oriente y que, al ser avisados en sueños de las intenciones aviesas de Herodes, regresaron a sus países por otro camino para evitar pasar de nuevo por la capital judía.

¿Quiénes fueron tan importantes y misteriosos personajes? ¿Qué relación tenían con la venida del Mesías, para realizar tan larga, penosa y peligrosa aventura, con el único afán de rendir un homenaje a un niño que acababa de nacer? ¿Y qué relación había entre ese Niño, los Magos y los seres extraterrestres que tripularon aquella máquina espacial?

Tan enmarañado problema no habría tenido jamás una respuesta de no haber mediado, en él, la intervención directa de los superhombres de Ganímedes. Y por esos habitantes del Reino de Munt que ahora vuelven a visitarnos, podemos conocer el portentoso enigma de la «estrella», descubrir el misterioso velo que durante dos milenios ha envuelto la personalidad de aquellos magos, y alcanzar a vislumbrar las profundas relaciones de todos los personajes y elementos que intervinieron en ese acontecimiento, aunque las respuestas puedan parecer a los profanos en las ciencias metafísicas pasmosamente desconcertantes.

Esos Magos eran iniciados Hermanos de la Esfinge, oriundos de Egipto, y sacerdotes iniciados de Zoroastro. Los egipcios, que fueron tres, venían de la región de Caldea donde se habían refugiado huyendo de la dominación romana impuesta años antes en su tierra natal. Y los persas, que también eran tres, procedían de la región de Bactriana. Conocedores profundos de los Planes Cósmicos de acuerdo con los cuales se regula la marcha de todos los mundos y de todas las humanidades que los pueblan. En esos Planes Cósmicos, bebieron sus conocimientos los hombres que trazaron en la Pirámide de Keops las famosas profecías a que nos hemos referido como un oráculo perfecto de nuestra actual civilización, y en ese oráculo, como entre las profecías de la Biblia, también estaba señalada la venida a este mundo del Mesías prometido, del Ser divino que bajaría a la Tierra para marcar nuevos rumbos a esta humanidad. Los grandes iniciados de esas escuelas de misterios sabían QUIÉN debía bajar en cumplimiento de tan magna misión cósmica, y sabían, por tanto, que Aquel Gran Ser podía llamarse «REY» pues era y es EL REY DE NUESTRO SISTEMA SOLAR...

En cuanto a la relación que hubo entre esos «Magos», el nacimiento de Cristo y la intervención de los seres extraterrestres en todo el episodio, llegamos a la parte más trascendental del gran misterio cósmico realizado en esos tiempos. Debemos aclarar, en primer término, que el nombre de «magos» que se les adjudicó a priori, y que se conservó en la Biblia, fue debido a la profunda sabiduría y maravillosos poderes demostrados ante Herodes, que concitaron su temor y respeto así como la admiración supersticiosa de cuantos tuvieron contacto con ellos en su visita a Jerusalén. Pero no eran alardes frívolos como los de la magia barata de otros encantadores o prestidigitadores comunes de esa época. Eran en verdad poderes elevados, alcanzados en una larga evolución al servicio de la DIVINIDAD por dos de los espíritus que integraban ese grupo: el gran maestro persa y el gran iniciado egipcio, cada uno de ellos acompañado por dos íntimos discípulos. Y ahora tendrá el lector que repasar cuanto explicamos acerca de la Cuarta Dimensión y de la Reencarnación, pues tenemos que declarar que esos dos imponentes personajes que infundieron temor al Rey Herodes eran, nada menos, que el Espíritu de Moisés, reencarnado como sacerdote persa de Zoroastro, y el espíritu de Sakia-Muni, o Señor Buda, encarnado entonces como Gran Hermano de la Esfinge de Egipto. La oculta identidad de tan altos personajes ha sido relevada por los superhombres de Ganímedes para explicar la formidable misión cósmica que por designios divinos del Reino de la Luz Dorada, empezaba a desarrollarse en aquellos días, en directa concordancia con el descenso a la Tierra del Supremo Señor del Reino de nuestro sistema solar, que venía a fundar la Nueva Religión llamada a reemplazar a todas las formas religiosas y doctrinas anteriores, preparando el advenimiento de la Nueva Era en este mundo...

No importa que los hombres hayan creado barreras divisorias, interpretaciones antojadizas de la Divinidad, religiones que en vez de unir han separado, por la ignorancia y la ambición de poder de quienes en la Tierra siempre trataron de impresionar las mentes populares denominándose «profetas o ministros de Dios». No importa que las castas sacerdotales de todos los tiempos, hasta el presente, hayan explotado más o menos a las masas, imponiéndoles obligaciones, unas veces útiles, pero muchas otras necias; tratando de explicar, a su manera, secretos de la Naturaleza y del Cosmos que, en la mayor parte de los casos, desconocían ellos mismos. El fenómeno se ha repetido siempre, desde los más remotos tiempos, porque el «SENDERO HACIA DIOS» ha sido y es una necesidad inherente al Espíritu Humano, presente en todos con mayor o menor intensidad, pero eterno como el propio Espíritu. Y, ante la multitud ignorante, ansiosa de Luz y de Verdad, siempre se formaron grupos de Maestros o de Guías dispuestos a enseñar y conducir... El origen de todos ellos siempre fue parecido: en los Planes que regulan la marcha de la Humanidad hacia el progreso, nunca faltaron Apóstoles de la Verdad que iniciaran una labor efectiva de ayuda y asistencia, de instrucción y educación positivas. Ello se deriva precisamente de aquellos Planes Cósmicos ya mencionados. Pero con el paso del tiempo, al ir desapareciendo los pioneros, los fundadores, los verdaderos guías, amorosos y desinteresados como auténticos «Soldados del Reino», fue degenerando, en la mayor parte de los casos, el grupo colegiado, la institución o iglesia por ellos creada; y al faltar la sabiduría y el amor de los genuinos apóstoles, la ambición o egoísmo de los seguidores llegó muchas veces a las más absurdas pretensiones, a las aberraciones más bajas y los más censurables medios para mantener la autoridad y el poder sobre las masas, que fueron cimentados, al principio, sobre fundamentos nobles, amorosos y elevados...

Hemos dicho que este fenómeno no tiene mayor importancia, porque es fruto de la misma debilidad humana, debilidad que debe fortalecerse y transformarse, en la marcha progresiva hacia la perfección de todos y de TODO... Y para ello han existido siempre aquellos secretos «Soldados del Reino» como los misteriosos miembros de las Escuelas Iniciáticas auténticas –no las que se atribuyen este nombre sin merecerlo– que en todas las épocas y en todos los pueblos han trabajado al amparo del hermetismo de que se rodearon, para poder proteger el mejor cumplimiento de sus misiones, que muchas veces, o en la generalidad de los casos, habrían sido incomprendidas y sin duda obstaculizadas por los hombres de su época. Sólo en oportunidades en que la misión obliga al iniciado a manifestarse públicamente, en alguna forma, es cuando lo hacen. Pero, aun así, es común que guarden el secreto de su identidad esotérica, de su íntima condición sustancial y de su vinculación con determinada «orden» o «hermandad», ateniéndose a lo estrictamente necesario para el conocimiento del vulgo, y reservando a quienes fuera menester los detalles confidenciales de su personalidad y de su labor.

Este es el caso de aquellos «Magos», a los cuales, con el correr de los siglos, se les ha llegado a considerar «Reyes». La Biblia no los llama así. Únicamente se refiere a ellos diciendo: «Unos Magos vinieron del oriente a Jerusalén». Viajaban sin séquito con la sencillez propia de los grandes maestros esotéricos, y llevaban consigo tan sólo el equipaje requerido por su especial misión. No los acompañaba el fastuoso cortejo acostumbrado por todos los reyes orientales. Y su seguridad personal y la de los valiosos presentes que conducían estaban protegidos, en realidad, por su gran sabiduría y la amorosa vigilancia que, desde el espacio, ejercía sobre ellos la máquina extraterrestre que los cuidaba.

Por otra parte, mal hubieran hecho al pretender que los tomaran por reyes, y tampoco necesitaban aparecer al mundo como tales. Por lo general, la realeza de la Tierra ha sido muchas veces acompañada por las bajas pasiones, por los niveles más pecaminosos que nos muestra la escala evolutiva de los seres humanos... Y los grandes espíritus iniciados han preferido casi siempre disimular su luminosa personalidad bajo apariencias sencillas. ¡Qué mejor ejemplo que el de CRISTO, Rey de nuestro Sistema Solar, bajando a la Tierra en el más pobre y humilde de los ambientes populares!

Y ahora veamos cuál fue la verdadera misión, oculta, de aquellos grandes hombres. Cumplido el homenaje a su Rey y Señor recién encarnado en la Tierra, salieron de Judea tal como lo narra la Biblia. Pero no se alejaron mucho. Solamente la distancia necesaria para no ser vistos por los pobladores de las zonas circundantes. Acamparon en un oasis del desierto, lejos de toda mirada impertinente, y allí aguardaron el descenso de la astronave del Reino de Munt. Cuando esto se produjo, uno de los discípulos egipcios del Gran Hermano de la Esfinge, fue conducido en el Ovni hasta las puertas del monasterio de los Hermanos Esenios en las cercanías del Mar Muerto. Ya estos sabían, en secreto, su misión y la del mensajero del espacio, que permaneció con ellos preparando todo lo que, con el paso de los años, tendrían que hacer en torno a la Gran Misión de Jesús de Nazareth. La máquina retornó al oasis, y transportó a Persia, a su lugar de origen, a otro de los discípulos iniciados de Zoroastro, quien debía continuar trabajando por el restablecimiento de la dulce y elevada religión del Zend-Avesta, reemplazada allí, desde hacía muchos años, por las prácticas idólatras y supercherías del Magismo, religión de los Medas, que tres siglos después, al establecerse la dinastía de los Sassánidas, volvió a dominar en Persia por un secular período.

Sabemos la facilidad con que se trasladan a cualquier distancia aquellas poderosas astronaves. Ambos viajes fueron breves, y a su retorno al oasis, los otros cuatro personajes subieron a ella. El gran sacerdote persa en quien moraba entonces el espíritu de Moisés, fue conducido, junto con su otro discípulo, a un lugar cercano a Roma, la orgullosa capital del nuevo imperio que en esos días comenzaba a organizar el todopoderoso Octavio, llamado desde entonces Augusto. Y el gran iniciado egipcio que encarnaba el espíritu de Sakia-Muni, acompañado también por su discípulo, fueron llevados hasta un lugar conveniente de lo que hoy es España, en donde progresaban las vastas colonias establecidas por los romanos en esa floreciente provincia de su imperio.

Comenzaba la Nueva Era que más tarde sería conocida en todo el mundo como la Era Cristiana... Pero, además, se iniciaba el último período en el gran ciclo evolutivo de 28.791 años al que nos hemos referido anteriormente, ciclo al que denominamos con el nombre de Gran Revolución Cósmica, cuyo último año corresponde al 2001 de nuestra era de Cristo, año en que cierra la Gran Pirámide de Egipto el largo oráculo de seis mil años que se refieren a nuestra actual humanidad... La misión de esos cuatro grandes seres, repartidos en puntos estratégicos de la naciente Europa habría de coincidir, en el secreto de los Planes Cósmicos, con los Supremos designios de los sublimes Señores de la Faz Resplandeciente, para el futuro de todo el planeta... Pero esto lo vamos a tratar en los próximos capítulos.

Cuarta Parte

EL «FIN DE LOS TIEMPOS» Y LA GRAN MISIÓN ACTUAL

CAPÍTULO 17

Una civilización que agoniza

Es posible que a muchos les parezca absurdo cuanto se detalla en el capítulo anterior. Otros encontrarán lógicas muchas de esas explicaciones. Y algunos –quizás más de los que podamos suponer– comprenderán toda la verdad encerrada en tan sorprendentes revelaciones. Todo está en relación directa con el grado evolutivo en que se encuentren, porque en una humanidad tan heterogénea como la nuestra podemos apreciar todavía hoy los exponentes de todos los niveles de la cultura simbolizados en aquella escalera del sueño de Jacob que iba desde el suelo hasta los cielos... Nadie negará que en la Tierra, pese a estar llegando a la etapa de la conquista del espacio sideral, poseemos ejemplares de todos los tipos comunes de la evolución humana: desde los más primitivos salvajes que aún abundan en diversas regiones del globo, hasta los depurados ejemplos de elevada moral y brillante genio que han marcado o marcan rumbos a la superación integral de sus congéneres.

Y esto, que motiva una serie de desarmonías y desequilibrios para la propia convivencia de los hombres y de los pueblos en el planeta, es una de las causas primordiales del gran fenómeno cósmico en gestación en los planos superiores que, a partir de la Cuarta Dimensión, están desarrollando todo el conjunto de elementos, fuerzas y energías de todo orden que habrán de producir los profundos cambios, las formidables mutaciones y dantescos reajustes previstos en los Planes Cósmicos de nuestro sistema solar para la nueva estructuración de la Vida en este planeta.

Quienes hayan tenido oportunidad de estudiar lo que la metafísica enseña al respecto, en sus clases más avanzadas, no se sorprenderán de nada. Y los que pudieron leer alguna vez obras serias relacionadas con las sabias enseñanzas de la Gran Pirámide de Egipto, ya sabrán cuanto se prepara y se viene realizando desde el comienzo de este siglo, como prólogo de los tremendos acontecimientos que habrán de cambiar por completo la faz del globo terráqueo y todas las estructuras, instituciones, ideas y hasta la vida misma en este mundo, en el breve plazo que nos separa de aquella fecha mencionada en el capítulo anterior: el año 2001...

Para quienes estén interesados en conocer abundancia de detalles al respecto, les recomendamos leer una de las obras más completas y mejor documentadas que se han publicado hasta hoy. Se trata de un libro reciente del profundo escritor mexicano Rodolfo Benavides, que lleva por título «Dramáticas Profecías de la Gran Pirámide». Nos hemos permitido mencionarlo, aun cuando no tenemos el honor de conocer a tan esclarecido maestro azteca, porque en todas sus magníficas obras publicadas y difundidas por diferentes países, brilla la Luz de los Planos Superiores...

En cuanto a la serie de cambios trascendentales que han de tener lugar en los últimos decenios del presente siglo, muchos de ellos han comenzado a manifestarse ya, y los síntomas tradicionales y característicos, precursores de las grandes mutaciones que sufrirá el planeta, pueden ser reconocidos fácilmente por quienes conozcan el proceso evolutivo de la Tierra y las profundas transformaciones operadas en ella a través de los millones de años de su existencia como tal. Para los menos informados sobre el tema hemos de recordar cuanto la ciencia nos enseña en los campos de la Geología, Paleontología,

Antropología, Sociología e Historia, y muy especialmente en los terrenos de la Biología, de la Física y la Química, para poder adentrarse en la moderna Cibernética, en un esfuerzo por comprender las estrechas relaciones de la Metafísica y de la Mitología, con los actuales adelantos de la Física moderna y de la Astronomía, si queremos alcanzar una correcta interpretación de todo el conjunto fenoménico actual y su íntima y lógica relación con las vinculaciones tan estrechas entre la evolución de nuestra humanidad y esa otra humanidad extraterrestre a la que nos venimos refiriendo.

Para los hombres de ciencia no es ningún secreto el hecho de que todas las grandes civilizaciones han seguido un ciclo evolutivo comparable al proceso vital de los humanos como individuos: nacimiento, infancia, juventud, madurez, ancianidad y muerte. La Historia nos lo demuestra. Y ese proceso, general para los pueblos y todas las civilizaciones que han pasado por la Tierra, ha coincidido varias veces con profundos cambios operados en la corteza terrestre, cambios algunos de tal magnitud que llegaron a modificar la fisonomía geográfica del planeta, como lo han comprobado la Geología, la Paleontología y la Arqueología en numerosas ocasiones. Y la metafísica nos enseña que las grandes transformaciones operadas en el globo terráqueo, comprobadas por las otras ciencias, han obedecido a fuerzas hasta hoy no identificadas ni en su verdadera identidad ni en la magnitud exacta de su tremendo poder, dentro de ciclos repetidos periódicamente, algunos de los cuales se han desarrollado entre periodos de tiempo que por la igualdad en su extensión denotan la presencia de causas ocultas que actuarían sincrónicamente produciendo efectos similares ante la repetición de situaciones fenoménicas también semejantes, y todo ello enmarcado por un proceso cíclico de evolución general del planeta.

A esto se refiere aquella cifra misteriosa que hemos mencionado varias veces en los capítulos anteriores: el guarismo 28.791 ¿Qué significa este número? Es la suma de años en que se desarrolla uno de aquellos ciclos evolutivos, conocidos en las escuelas esotéricas como «Revolución Cósmica», o sea el periodo de tiempo durante el cual tienen lugar una serie de fenómenos encaminados a favorecer el progresivo desenvolvimiento del planeta y de sus habitantes, desde las formas inferiores hasta las superiores, como vimos en capítulos anteriores. Tal proceso tiene lugar dentro de ciclos en los cuales se manifiestan determinadas características, circunscritas por el desarrollo de fuerzas de la Naturaleza que van gestando paulatinamente los diversos cambios, y que son reguladas por leyes fijas que obedecen a impulsos y energías provenientes de los planos superiores, o dimensiones como hemos visto al ocuparnos de la «Cuarta Dimensión», por lo que generalmente, presentan características semejantes, en la manifestación de sus efectos, ante la concurrencia de factores, también semejantes, y en plazos iguales en duración, por la concordancia de influencias astrales poderosas que tienen su máxima expresión dentro de ciertos límites de tiempo, fijos, por obedecer a la sincrónica marcha de los astros que forman nuestro sistema solar y sus relaciones con otros sistemas vecinos en la galaxia a la que pertenecemos, o sea, la Vía Láctea.

Por eso cada 28.791 años se presentan condiciones similares, cambios profundos en la vida y población del globo, fenómenos geológicos y transformaciones trascendentales, que influyen poderosa y drásticamente en toda la topografía de la Tierra, y por ende en la marcha progresiva de sus pobladores, con la consiguiente marca inevitable sobre el desarrollo de las civilizaciones o formas de vida inteligente que hayan alcanzado a producir.

El final del ciclo anterior tuvo lugar en la época en que desapareció bajo las aguas del Pacífico la Lemuria, fenómeno mencionado anteriormente al ocuparnos de las razas. Y en esa ocasión, también, se manifestó la presencia en el cielo de un astro gigantesco a cuya tremenda influencia se debió, entre otros efectos, la desaparición de la segunda luna terrestre, la modificación del eje de rotación de nuestro planeta y todos los cambios geológicos, climáticos y geográficos de que nos hemos ocupado en ese capítulo. Ahora, igualmente, para el final de este siglo tendremos la visita del planeta frío al que se refiere la Biblia en el Apocalipsis con el nombre de Ajenjo, planeta gigantesco de otro sistema estelar al que nos hemos referido anteriormente con el nombre de Hercólubus, perteneciente al sistema planetario desconocido por muchos de nuestros astrónomos, pero que en Ganímedes conocen como el de la estrella Tila, cuyas descomunales dimensiones pueden imaginarse al saber que Hercólubus, uno de sus planetas, es tres veces mayor que el planeta Júpiter, el gigante de nuestro sistema solar, y que su órbita en torno a su estrella primaria, Tila tarda casi catorce mil años de los nuestros. Si tenemos en cuenta que este lapso representa, aproximadamente, la mitad del tiempo, señalado por aquella cifra de 28.791 años, y que el gran cataclismo representado por la destrucción de la Atlántida, mencionado en la tercera parte de este libro, tuvo lugar, más o menos, en una época cercana a la mitad de aquel ciclo, no es aventurado pensar que la repetición del fenómeno sideral correspondiente al paso periódico de tan gigantesco astro cerca de nuestro sistema planetario, haya tenido una directa y poderosa influencia en la realización de la mencionada catástrofe.

Es fácil suponer los efectos que la nueva visita de Hercólubus, que esta vez pasará a una distancia aproximada de un millón y medio de kilómetros de la Tierra, ha de ocasionar a nuestro planeta. La formidable inducción electromagnética del gigantesco astro invertirá los polos magnéticos terrestres y volverá a cambiar el eje de rotación, con lo que los polos geográficos tornarán a mudarse de posición. Esto producirá una serie de cataclismos descomunales: hundimiento y elevación de continentes enteros, como ya pasó con la Lemuria y con la Atlántida, transformación completa de mares, cursos de agua y cordilleras en todo el mundo, desaparición de extensas zonas continentales que quedarán sumergidas, y afloramiento de otras porciones, hoy submarinas, que emergerán para formar nuevas islas y continentes distintos a los actuales... ¡Una verdadera revolución cósmica de la corteza terrestre!

Pero todo eso vendrá a ser el final de los tremendos cambios que sufrirá la Tierra, como crisis postrera del ciclo a que nos estamos refiriendo. Antes, nuestra actual humanidad habrá presenciado y sufrido las consecuencias catastróficas del proceso evolutivo que todas las diversas fuentes de predicciones mencionadas en el curso de esta obra vienen señalando para esta etapa, y que en el lenguaje bíblico se llama «El Fin de los Tiempos». Es conveniente recordar que todas las profecías, de distinta época u origen, como la de la Gran Pirámide de Egipto, la del Rosacruz Nostradamus, las de Daniel en el Antiguo Testamento, las de los Caballeros de la Mesa Redonda, el Apocalipsis de San Juan, las predicciones de la moderna Orden de Acuarius, y por último, la tercera profecía de la Virgen María a los pastorcitos de Fátima, que fue retenida por las altas autoridades eclesiásticas y guardada en reserva por el Vaticano, con la promesa de comunicarla al público treinta años después y que habiendo vencido este plazo con exceso hasta ahora no ha sido dada a conocer, por los terribles vaticinios que encierra para toda la humanidad, coinciden en todo con las revelaciones que hoy nos llegan desde Ganímedes, sobre la realización efectiva, en estos últimos veintinueve años del presente siglo, del apocalíptico proceso evolutivo que se está cumpliendo en la Tierra como síntesis cósmica del «Fin de los Tiempos» a los que refieren, en símbolos y complicadas alegorías, las visiones de san Juan en la isla de Patmos y el mensaje de Cristo referente al «JUICIO FINAL».

Todo el caótico panorama que nos muestra nuestro mundo en la actualidad, no es otra cosa que el conjunto fenoménico de síntomas reveladores para los entendidos de los días postreros de una civilización que está agonizando. Y el retorno, después de muchos siglos, de las astronaves del Reino de Munt, tiene la más íntima relación con todo aquel proceso, porque ahora, como en otros tiempos, aquella súper raza viene de nuevo, en cumplimiento de una trascendental Misión emanada del Reino Central de nuestro sistema solar, a tomar parte activa en el desenvolvimiento final de la Era que termina para la actual humanidad de la Tierra, y en la preparación del planeta para el cumplimiento de la Promesa Crística de establecer Su Reino en este mundo...

Vivimos, pues, el final de otro ciclo de 28.791 años, que esta vez coincide con el más profundo de los cambios operados hasta ahora en las diferentes eras precedentes. Y la trascendencia cósmica del fenómeno es tal, que en él intervendrán factores de todo orden: astronómicos, geológicos, espirituales, antropológicos y biológicos, psíquicos y mentales, físicos y químicos, terrestres y extraterrestres, porque esta vez terminan para siempre una civilización, una humanidad y un mundo, que van a ser reemplazados por otra humanidad y otra civilización, en un mundo regenerado y nuevo, capaz de recibir Aquel Reino que Cristo nos prometió...

CAPÍTULO 18

El juicio final

Para poder llegar a una cabal comprensión de lo que se explica en este capítulo, es preciso haber estudiado detenidamente el contenido íntegro de todos los capítulos precedentes, pues si alguien pretendía leerlo por anticipado se encontraría con serias dificultades para interpretar correctamente una gran mayoría de los aspectos esotéricos sustanciales del proceso cósmico al que se refiere, sintéticamente, la Biblia al hablar del Juicio Final. Y como en todo ese proceso van a jugar un papel de trascendental importancia los superhombres del Reino de Munt, quien lea esta parte del libro sin haber conocido cuanto se explica en las partes anteriores, se encontraría sin base ni razones para comprender cuanto vamos a detallar ahora con relación al «Final de los Tiempos» que empieza a desarrollarse en los días que estamos viviendo...

Sus causas

En primer lugar, debemos recordar en toda su magnitud la esencia pura de la misión crística. El Sublime Espíritu de Cristo descendió a la Tierra para sentar las bases en que habría de sustentarse una nueva civilización, la transformación total de un mundo y de una humanidad. Su doctrina de amor y confraternidad estaba llamada a reemplazar todos los conceptos, todas las ideas fundamentales sobre las que cimentaba el mundo antiguo sus instituciones, fueran éstas de orden político, social, económico o religioso. La humanidad de este planeta había conocido el desarrollo de varias razas; había vivido bajo diferentes formas de organización, desarrollando numerosos niveles de cultura. Sus creencias religiosas pasaron también por múltiples aspectos en la progresiva evolución que ya todos conocemos. Las costumbres y normas de vida y de relación entre los seres humanos, alejándose del salvajismo y de la barbarie, ya requerían bases de moral más elevadas, conceptos más puros y avanzados, instituciones más perfectas, para encauzar este mundo hacia niveles superiores de civilización.

Y dando ejemplo con su vida y con su muerte, dejó Cristo en la Tierra el nuevo mensaje, el Mandamiento de Amor y de Confraternidad en que resumía toda la Ley Antigua, llamando a los hombres a considerarse y tratarse como hermanos. Así marcaba el nuevo paso que esta humanidad habría de dar para subir a los niveles de la Vida donde pudiera realizarse la gran transformación de este planeta en morada propicia en la que fuera posible establecer «Su Reino de Amor y de Armonía»...

Van a cumplirse dos mil años y ¿cuáles son los resultados? ¿Ha avanzado positivamente nuestra humanidad por el sendero luminoso que Aquel Maestro le trazara?... Una observación detenida y minuciosa del panorama actual basta para darnos la respuesta. Y esa respuesta, salvo muy contadas excepciones, ejemplos que por la enorme desproporción al compararlos con la generalidad resultan pequeños y escasos, nos demuestra un balance negativo y una lamentable pérdida de tiempo que se pudo haber aprovechado mejor, si la mayoría de esta heterogénea humanidad no hubiese persistido en afirmarse en tradicionales errores, fruto de las bajas pasiones tan arraigadas en casi todos, y que al final de este ciclo son las verdaderas causas que, en la Cuarta Dimensión y Planos Superiores, generan hoy los efectos fenoménicos del proceso evolutivo que tratamos de explicar.

Al ocuparnos de la Cuarta Dimensión en los capítulos precedentes explicamos, aunque someramente, lo necesario para comprender cómo se desenvuelven y actúan las fuerzas y energías de ese plano cósmico –o mundo del alma– que gobierna invisiblemente toda la vida en nuestro planeta. Su estudio y conocimiento prueban que, en verdad, en esos planos de la Naturaleza, imposibles de captar por los cinco sentidos comunes pero directamente accesibles por el sexto y demás sentidos –aunque lo nieguen los materialistas–, tienen lugar todos los fenómenos de acción y reacción que operan las Grandes Fuerzas Cósmicas directivas de la Vida en los planos físicos de la Materia o mundo visible. Y si en éste se generan fuerzas negativas, fenómenos de desequilibrio que rompen la necesaria armonía del conjunto, las reacciones, lógicas y naturales de tales desequilibrios y desarmonías, serán tanto más grandes cuanto mayores sean la magnitud y alcances de los errores cometidos.

¿Es lógico pensar que pueda establecerse un mundo de Paz y de Amor, universalmente extendido y unánimemente aceptado y puesto en práctica por nuestra humanidad? ¿Podrían reinar la armonía y el perfecto equilibrio en la Tierra, tal como hoy se encuentra?... ¿No es verdad que la violencia, la codicia y el odio acaparan al mayor número de sus habitantes y aumentan día a día en intensidad y en todas las múltiples expresiones de su destructora furia?...

Lejos de tender a la unión fraternal, los hombres y los pueblos se separan cada vez más, divididos por las ideas políticas, por la economía y hasta por las mismas religiones. La experiencia terrible de las dos guerras mundiales que ha sufrido en este siglo nuestro mundo, en vez de haber sido lecciones elocuentes para un definitivo acuerdo entre todas las naciones, fue a manera de laboratorio gigantesco donde se buscaron nuevos elementos y técnicas de destrucción, en el satánico afán de exterminio que hoy nos lleva inexorablemente al estallido cercano de la última conflagración general que se produzca en el planeta. Sabemos perfectamente cómo se está preparando la tercera guerra mundial. Ya se perfilan con toda claridad los contendientes. Las tres más grandes potencias mundiales poseedoras de fuerza atómica y termonuclear se preparan febrilmente para el dantesco encuentro. Pero la fértil imaginación del Dante no llegó, ni llegaría jamás a vislumbrar lo que será, en verdad, el choque final de los titanes mundiales que hoy se disputan el dominio absoluto del planeta. De nada valen las diplomáticas y superficiales entrevistas y conversaciones de estadistas que, en el fondo, sólo alcanzan a realizar acuerdos incompletos, ambiguos, muchas veces débiles, y al final, estériles, porque no logran, ni lograrán obligar a todos los pueblos a un desarme efectivo, mundial, verdaderamente total... Y ese desarme no puede lograrse, porque siempre reina la desconfianza, generada por el convencimiento general de la ausencia de una moral elevada que permitiera a los hombres cambiar de métodos y de estructuras en la pacífica convivencia internacional. Y esta misma convivencia no sería posible, mientras no desaparecieran las fronteras y los nacionalismos. Y estas barreras ideológicas generadas por los más variados intereses, disimulados en fórmulas chovinistas para ocultar los beneficios de grandes grupos encubiertos en la maraña internacional, tampoco podrán desaparecer en un mundo concebido aún sobre fórmulas que pudieron ser útiles en tiempos remotos, pero que en una humanidad amenazada por las fuerzas cósmicas del átomo, resultan ya obsoletas...

El viejo aforismo romano: «Dividir para reinar» ha continuado imperando en la Tierra, procurando favorecer el establecimiento de pequeños organismos nacionales, de estados minúsculos con aparente independencia y soberanía, en vez de grandes bloques continentales, como en el caso de América Latina y de África. Si las antiguas colonias hispanas, al separarse de España, hubieran constituido una gran confederación, ya que tenían todas las condiciones que geográficamente, y dentro de una misma historia común, poseían la misma lengua, las mismas costumbres y tradiciones, la misma raza, la misma religión, el mismo origen y recursos económicos similares, para haber formado un poderoso estado, no se hubieran dividido, habría sido diferente el porvenir de las jóvenes repúblicas hispanoamericanas al haberse unido en una sola y gran nación. Pero entonces esto no convenía a los poderosos intereses de las grandes potencias mundiales, pues es mucho más fácil dominar a un grupo de pequeños pueblos, fomentando y estimulando la ambición de núcleos separados que los dirijan, que se convierten así en condescendientes aliados o servidores de las grandes naciones, a tener que vérselas con uno o dos gigantescos bloques, difíciles de manejar en el complicado concierto internacional por su propio poder. Y esto mismo está sucediendo en el confuso panorama político de las antiguas colonias africanas...

El egoísmo y la avaricia han dominado hasta ahora a nuestra humanidad. Y si sumamos la soberbia, la envidia, el odio y la lujuria, cuyas poderosas influencias están manifestándose con caracteres cada vez más alarmantes en todos los pueblos de la Tierra en el presente siglo, tenemos que rendirnos a la evidencia del fracaso de nuestra actual civilización en los campos de la moral, de la superación intelectual, mental y espiritual, que pudieran permitir a corto plazo un cambio sustancial de estructuras y de conceptos ideológicos favorable para el ideal crístico del advenimiento de un reino universal de paz, de amor y de armonía fraternal en el planeta.

El asombroso desarrollo científico y técnico de los últimos lustros de esta centuria, lejos de acercarnos a ese ideal, nos muestra peligrosamente el encauzamiento de la inteligencia en este mundo hacia un tipo de humanidad gobernada por seres similares al superhombre imaginado por el filósofo alemán Federico Nietzsche. El fantasma de supersabios dotados de un enorme poder científico, pero desprovistos de toda consideración moral o sentimiento humano elevados, que emplearían su ciencia para dominar al mundo y convertir a los millones de habitantes de la Tierra en simples muñecos vivientes, esclavos inconscientes de un reducido grupo de superhombres nietzscherianos, que tendrían poder absoluto sobre la mente y la voluntad de todos los seres, convertidos por su satánica ciencia en verdaderos robots humanos...

Tan aterrador panorama no es ya un mito. Puede ser alcanzado en sólo veinte años más. Ya se conocen, en el secreto de los laboratorios militares, sustancias que pueden lograr tan diabólicos resultados. Se han llevado a cabo experimentos que permiten calcular el dominio de la mente y de la conciencia de los habitantes de ciudades enteras, aunque sean tan grandes como Nueva York o Tokio. Y se estudia el alcance de tales efectos, que todavía serían por períodos transitorios, mientras dure la acción tóxica de aquellas sustancias, para lograr métodos más refinados capaces de asegurar, con toda garantía, la transformación de la personalidad o control permanente de la vida psíquica del sujeto a largos plazos...

¿Cuánto tardaremos en presenciar o sufrir los resultados macabros de tan abominables propósitos? Seguramente el tiempo preciso para que uno de los titanes que se afanan en conseguir la supremacía, en el colmo de su demencia bélica, se considere lo suficientemente fuerte y preparado para aplastar, por sorpresa, al adversario...

Y esta carrera de locos en que ya se han empeñado los más poderosos pueblos de la Tierra, va a tener su desenlace fatal en un tiempo muy cercano. De nuevo, por desgracia para millones de inocentes, nos vemos obligados a recordar que las tantas veces mencionadas profecías de la Gran Pirámide no se equivocaron, ni una sola, en la larga lista de predicciones que durante seis mil años han marcado el curso de la actual humanidad. Y que en ese misterioso monumento de granito rojo se señala el año de 1975 como el comienzo de la diabólica crisis...

19

CAPÍTULO

El juicio final (continuación)

El misterio de los números-clave

Ha llegado el momento de referirnos al apasionante secreto de los «Números-Clave». ¿Qué significa esto? Vamos a procurar dar una idea aproximada de uno de los más intrincados secretos del Cosmos, anticipando que nuestras explicaciones sólo han de alcanzar a la escueta información que se nos ha proporcionado al respecto. Y debe recordarse, como ya lo manifestamos en otras oportunidades, que al hablar del Cosmos no lo entendemos en la forma común que se le atribuye hoy día en materia de Astronomía o en el campo de la Astronáutica, sino como el concepto del Cosmos en el sentido de Universo Integral, Suprema Síntesis de los tres reinos de la Vida: ESPÍRITU, MATERIA Y ENERGÍA.

En el Cosmos, los números tienen una aplicación y un sentido mucho más amplio que los corrientemente conocidos en la aritmética o las matemáticas de nuestro mundo. La esencia cósmica de las cifras está ligada estrechamente a la esencia cósmica de los elementos y de las fuerzas de todos los planos de la Naturaleza. Sus relaciones son tan íntimas, que puede decirse que cada cosa, cada porción del Universo, está identificada con determinado número, que así viene a ser la clave metafísica de aquélla. Y tales guarismos sirven a los entendidos para expresar –también en clave– grandes fenómenos o relaciones de orden suprafísico entre los diferentes factores que intervienen en la evolución universal. Las leyes y los métodos que siguen, son del absoluto conocimiento de los iniciados en los más profundos secretos del Cosmos. Y la matemática precisión de innumerables acontecimientos tiene también estrecha relación con el juego de las cifras-clave en las trascendentales matemáticas de los Guías de la Evolución...

Lamentamos no poder proporcionar mayores datos en un trabajo destinado a la generalidad del público. Debemos atenernos a los simples datos que se nos han proporcionado. Pero del ejemplo que vamos a ofrecer, restringido a lo que nos permiten explicar en relación al trabajo de este libro, podrán sacar los lectores interesantes conclusiones, más o menos importantes según sean los conocimientos metafísicos de cada uno.

En el curso de esta obra hemos mencionado varias veces la cifra 28.791, vinculándola con algunos aspectos de nuestra evolución, muy especialmente cuando se trató de los ciclos conocidos como «Revoluciones Cósmicas» y al ocuparnos de todo lo relacionado con el fin de esta Era, y la coincidencia de ese número de años con la fecha que en las predicciones de la Gran Pirámide de Keops marcan el año 2001 como cierre final de todas las profecías.

Veamos ahora el desarrollo de una serie de operaciones que, dentro de las normas especiales de la Aritmética Cósmica, o aplicación de valores esenciales metafísicos de los números-clave, van a llevarnos a asombrosos y enigmáticos resultados: en la Biblia, el Apocalipsis de San Juan, al ocuparse del Fin de los Tiempos, menciona concretamente algunas cifras que merecen estudiarse detenidamente a la luz de lo que venimos explicando. Se dice que «serán salvados 144.000 escogidos»; y para llegar a tal número declara que «provendrán de las 12 tribus de Israel, a razón de 12.000 descendientes de cada tribu», lo que arroja ese total de 144.000.

Sabemos ya que tales documentos, muy especialmente el Apocalipsis, fueron escritos a base de símbolos, alegorías cósmicas, es decir, claves iniciáticas. No tendría sentido lógico ni justo pretender interpretar al pie de la letra esta parte, como ya hemos visto con muchos otros pasajes de los textos bíblicos. Y aplicando las normas de la Aritmética Cósmica a que nos estamos refiriendo, veremos lo que pasa. Para ello debemos explicar que cada número es un símbolo. Que para llegar a la clave, hay que realizar operaciones diferentes a las comunes de la aritmética oficial, buscando los valores positivos y rechazando, en ciertos casos, los negativos. Así, en este ejemplo, vamos a considerar nulos, como negativos, los ceros: si sumamos los valores positivos de cada guarismo en la cifra 144.000, suprimiendo los ceros, tenemos 1 + 4 + 4 = 9. Esta suma nos acaba de llevar a uno de los número-clave. En la metafísica elevada, o Aritmética Cósmica, el 9 es el número-clave de la Humanidad. Ahora tomemos las otras dos cifras: 12 tribus y 12.000 seres por tribu. Con el mismo procedimiento, suprimiendo ceros, en ambos casos 1 + 2 = 3. Este es otro de los números-clave, también conocidos como «números sagrados». El 3 representa a la Trinidad, a la Trilogía de Principios Fundamentales del Cosmos: ESPÍRITU, MATERIA Y ENERGÍA... Pero el simbolismo hermético nos está repitiendo el número tres, dos veces. Si sumamos 3 + 3 = 6, tenemos otro número-clave: 6 es el símbolo de «La Bestia», de todo lo negativo en la Evolución, de la suma de todos los errores, de la Destrucción...

Ahora bien, si multiplicamos el resultado de la primera cifra, o sea el 9, por el de la segunda operación, 9 x 6 = 54, y volvemos a reducir ese resultado, tenemos 5 + 4 = 9, otra vez la humanidad. ¿Qué puede significar todo esto? ¿No será que la humanidad, por sus tremendos errores, cae en la destrucción, se destruye a sí misma bajo el influjo de «La Bestia», para renacer más tarde como el «Ave Fénix» surgiendo de sus cenizas...?

Pero aún hay algo más. Hemos venido repitiendo que el oráculo de esta civilización trazado en la Gran Pirámide de Egipto cierra la serie ininterrumpida de predicciones en fecha coincidente con el año 2001 de nuestra era actual. Y tal número, por el mismo procedimiento, nos da también el número 3. Si este 3 lo multiplicamos por el 9 del resultado final anterior, tenemos 27. Si a este guarismo le devolvemos los tres ceros que se desecharon de la cifra básica apocalíptica, o sea, 144.000, tenemos 27.000. Hagamos ahora una nueva operación, haciendo intervenir, como factores, a la Tierra, morada de nuestra humanidad, y a Ganímedes, hogar de la súper raza, o humanidad hermana nuestra:

Resultado de la última operación	27.000	
Diámetro de la Tierra en km (12.760)	1.276	(cero supr.)
Diámetro de Ganímedes en km (5.150)	515	(cero supr.)
Total	28.791	

La reunión de todos los factores, en este proceso de los números-clave, uniendo las predicciones de dos fuentes distintas de diferentes épocas, y analizando el fondo esencial de las misteriosas cifras, acaba de darnos, por diversos caminos, la cifra exacta del número de años de los ciclos cósmicos a que nos veníamos refiriendo anteriormente: 28.791. Y para ello tuvimos que unir en una operación conjunta a la Tierra y a Ganímedes...

¿Qué se desprende de todo este misterio matemático del Cosmos? Cada uno de vosotros es dueño de sacar las conclusiones que mejor estime... En cuanto a nosotros, daremos también las nuestras en los últimos párrafos del libro.

Sus efectos y desarrollo

Hemos dicho al final del capítulo anterior que las profecías de la Gran Pirámide señalan el año de 1975 de nuestra era como el comienzo de la terrible crisis bélica mundial. Y si comparamos el lacónico mensaje de las cifras-clave bíblicas y las simbólicas predicciones del Apocalipsis con los diferentes anuncios en tal sentido contenidos en todas las otras fuentes proféticas ya mencionadas, refiriéndolas al curso de los acontecimientos y al panorama internacional, comprenderemos que algo muy grande y de trascendental importancia para la humanidad se está gestando en estas horas cruciales para todo el planeta.

Y a tal conjunto de factores se viene a unir hoy el dramático mensaje que nos llega desde el lejano Ganímedes... Estamos viviendo las horas postreras del Apocalipsis y los acontecimientos que día a día se desarrollan en todos los confines de la Tierra son en realidad el desenvolvimiento de las fuerzas generadas en la Cuarta Dimensión por los tremendos desequilibrios acumulados en el curso de los últimos siglos, fuerzas que se están manifestando en los planos físicos y psíquicos, materiales y mentales de nuestro mundo en todas las diferentes formas de alteraciones sociales, políticas, económicas, particulares o colectivas, individuales o familiares, nacionales e internacionales, climáticas, geológicas, sísmicas y de todo orden. Son realmente las expresiones en el mundo de la materia de aquellos alegóricos «Sellos» que en la Cuarta Dimensión, o mundo Astral, van destapando los Guardianes Invisibles de esta humanidad, que no son otros que los «Siete Ángeles» de la visión de San Juan en la isla de Patmos.

Cada vez, a medida que pasen los días, se irán acentuando los más fuertes cambios, las más violentas controversias y luchas, las inundaciones, movimientos sísmicos y cuantos fenómenos contribuyan al desenlace previsto... Y cuando, en 1975, la tirantez de las relaciones internacionales haya alcanzado su máximo nivel, la locura dominante precipitará el dantesco choque: en pocas horas serán borradas del mapa enormes ciudades y centros de vida y de producción... Los terribles hongos gigantescos de las explosiones termonucleares convertirán en humo a millones y millones de seres humanos, en diferentes lugares del globo. La satánica demencia, haciendo presa en los dirigentes de los pueblos, empleará todos los medios de destrucción largamente acumulados, en su afán por acabar al adversario. En Oriente y Occidente, un mar de fuego y radiaciones arrasará en poco tiempo a más de la mitad de esta pobre humanidad. Y cuando los colosos que prendieron la chispa del gigantesco holocausto hayan caído fulminados por sus propias fuerzas destructoras, una humanidad enloquecida por el terror, despavorida por el pánico, diezmada día a día por las radiaciones que invadirán todos los confines de la Tierra, buscará desesperadamente un lugar donde guarecerse... El implacable flagelo desatado por la codicia y el odio continuará exterminando a los supervivientes de la terrible catástrofe bélica. Y las fuerzas vivas de la Naturaleza, hondamente afectadas, harán sentir a su vez los efectos negativos generados por los formidables desequilibrios producidos en la corteza terrestre, en los mares y en los campos: las fallas geológicas perfectamente conocidas en la actualidad, estimuladas por los continuos impactos masivos de las grandes concentraciones nucleares puestas en juego en la infernal contienda, comenzarán a producir extensos y repetidos terremotos, maremotos y erupciones volcánicas en diferentes lugares del planeta. Buscando su nuevo equilibrio, las fuerzas orogénicas y telúricas, al modificar la superficie del suelo, contribuirán en todas partes al exterminio progresivo de hombres, animales y plantas... Los campos y los mares, contaminados por la radiactividad imposible ya de controlar, negarán sus frutos y sus peces a los hambrientos restos de esta humanidad sacrificada ante el altar de sus propios egoísmos y rencores... Así pasarán los años de la década de los ochenta, encontrando los albores del último decenio de este siglo un planeta arrasado en que deambularán misérrimamente pocos millones de seres embrutecidos, dementes y monstruosos por las deformaciones generadas, en el tiempo, a causa del loco empleo de una energía nuclear que pudo haberle dado a la Tierra la prosperidad y la dicha...

Y en tales condiciones, al final de ese decenio, los seres que aún queden con vida y con razón para poder pensar, verán en los cielos acercarse el extraño resplandor de aquel gigante del espacio al que hemos mencionado como el planeta frío Hercólubus. Momento a momento, su visión se irá agrandando hasta ocupar una considerable porción del firmamento. Ya hemos explicado anteriormente los efectos que la visita de ese astro han de producir en el nuestro. Cuando su tránsito alcance la mayor proximidad a la Tierra, ésta sufrirá violentamente los diferentes cambios enumerados en el capítulo XVII... ¡El cataclismo final habrá cerrado el ciclo previsto en las profecías, y el «Fin de los Tiempos» a que alude la Biblia habrá llegado a su total culminación...!

Interpretación del Juicio

Tanto en el Apocalipsis de San Juan como en los versículos del Cap. 25 de San Mateo referentes al «Juicio Final», encontramos la promesa de que serán **«salvados quienes tengan las blancas vestiduras del Reino»**, y que los buenos, o sea los que cumplieron las enseñanzas de Cristo, recibirán el premio de entrar en Su Reino... Ha llegado el momento de explicar, por una parte, el sentido enigmático de las alegorías y símbolos bíblicos, y por la otra, el motivo por el cual vuelven a la Tierra, después de siglos, los superhombres del Reino de Munt.

Para poder cumplir la promesa crística, las Altas Dignidades de ese Reino de la Luz Dorada tantas veces mencionado en este libro, encomendaron a los habitantes de Ganímedes la nueva misión que habrían de cumplir en provecho de este mundo. Ya se ha visto, por el desarrollo de esta obra, cómo y cuántas veces trabajaron, en otros tiempos, en altas labores de ayuda a nuestra humanidad, en el curso de su evolución. Ahora, la Gran Misión es salvar a todos aquellos a quienes alude la Biblia con el simbolismo de **«los elegidos de las blancas vestiduras del Reino»**. ¿Qué significado tiene esto? Todos los alumnos de cualquier escuela metafísica iniciática saben perfectamente desde los primeros estudios que el ser humano posee un aura, o envoltura luminosa que rodea íntegramente el cuerpo físico y que se manifiesta como un destello de diferentes colores, en una gama variadísima de tonos y de intensidad, según sea el nivel evolutivo, o grado de desarrollo psíquico y espiritual en que se encuentre el sujeto. Todas las emociones, pensamientos o actitudes internas del alma producen rayos de color determinado y de mayor o menor luminosidad en esa envoltura fluídica, la que es visible permanentemente en los dominios del Plano Astral o Cuarta Dimensión, y puede ser vista y analizada por cualquier persona que posea la clarividencia, aun en el plano físico. Esa «aura» es la que los pintores de todas las épocas han colocado en torno a las cabezas de los santos, y que expresaron como rayos de luz despedidos por el cuerpo de los seres divinos en todas las religiones.

Cada pasión o estado del alma en determinado momento, genera un tipo de luz y color característicos, y los conocedores de esto pueden saber inmediatamente la clase de persona y su modo peculiar de ser y de pensar con sólo ver su aura. En los clarividentes avanzados, basta contemplar a la persona, aunque sea a cierta distancia, para conocer de inmediato su estado psíquico, su calidad moral, su posición exacta en los diferentes escalones de la evolución... Las auras, por tanto, vienen a ser como un ropaje identificador de sus propietarios, vestido que nadie se puede quitar y que lo descubre en toda la intimidad de su desnudez espiritual. Ahora podremos comprender por qué se habla en el Apocalipsis de **«las blancas vestiduras del Reino»**. Las luces y rayos de color del aura corresponden al estado del alma de cada uno, y solamente cambian si cambia la persona de modo de ser y de pensar. Y si es de bajos instintos, malévola y mal intencionada, su aura tiene los colores más oscuros, más sucios, los destellos más débiles y opacos, porque el espectro lumínico manifestado en ella está en relación directa con la frecuencia vibratoria generada por la constitución molecular de todos los cuerpos que integran al individuo, como explicamos al tratar de la Cuarta Dimensión.

De tal manera las auras de las personas más puras, más elevadas en la escala moral y espiritual, desprenden los más brillantes rayos de luz en tonalidades bellísimas y de una resplandeciente suavidad, entre cuyas radiaciones se aprecia una delicada mezcla de luz blanca, con ligeros toques dorados y celestes, indicadores de las más excelsas condiciones de espiritualidad, o sea, las «Blancas Túnicas del Reino».

Nuestros Hermanos Mayores de Ganímedes tienen la misión de buscar en toda la Tierra a los poseedores de ese tipo de auras. Por eso, desde hace varios años, han venido visitando las diferentes regiones del planeta, sobrevolando las ciudades y las aldeas, observando con detención, especialmente por las noches, todos los sitios en que brille alguna de esas resplandecientes «vestiduras áuricas». Toda la gente se pregunta ¿qué es lo que hacen? ¿Por qué no bajan y se manifiestan públicamente?... Ellos lo saben. Pero sólo les interesa cumplir con su misión. Y esta misión es la de localizar a todos los que merezcan ser salvados del exterminio total por haber alcanzado el más alto nivel moral que es posible en este mundo, conduciéndolos, en el momento oportuno, hasta su maravilloso reino. Ya muchos han partido, como el caso narrado en la primera parte de este libro. Y otros también se están preparando ya para abandonar la Tierra. Es una labor silenciosa y sin alardes jactanciosos, pues los que ya saben su destino, por su misma elevación, hace mucho que vencieron la soberbia, el orgullo y la vanidad que a otros les impulsarían a pretender una mezquina publicidad. Los que están saliendo han seguido caminos y métodos parecidos a los de nuestro amigo Pepe. La mayor parte no deja huellas, pues muchos también pertenecen a las clases olvidadas y humildes, a ese tipo de seres de la calle que no ocupan renglones destacados en la fantasmagoría social, política o económica de este mundo y, por lo tanto, su presencia o su ausencia no importan mayormente a nadie...

Cuando estalle la tercera guerra mundial, habrán partido ya de la Tierra todos los que hayan alcanzado el más alto nivel de evolución en esta humanidad. Serán instalados en el Reino de Munt para educarlos adecuadamente y someterlos a un largo proceso de reacondicionamiento orgánico y fisiológico que les permita alcanzar a vivir físicamente varios siglos. Así podrán asimilar el enorme adelanto de sus maestros y prepararse para regresar al planeta de origen, en cuerpo y alma, cuando llegue la hora de iniciar la NUEVA ERA...

Si analizamos detenida y cuidadosamente los tantas veces mencionados textos del Nuevo Testamento, veremos que en el «Juicio Final» y en el Apocalipsis existe una marcada diferencia entre los que «serán salvados» y los que «serán juzgados». Ya hemos visto quiénes son los «salvados», y cómo se está efectuando desde ahora el proceso cósmico... Debemos ocuparnos, por tanto, de los que serán «juzgados». En el capítulo 25 de San Mateo aparecen con la denominación simbólica de «las ovejas» y «los cabritos». Las ovejas simbolizan a los buenos, a quienes fueron justos y fieles servidores de las dulces y amorosas enseñanzas del Cristo; y los cabritos, a los que se mantuvieron reacios y malévolos, empecinados en sus vicios y errores, a toda esa legión tenebrosa de la maldad humana... Cuando termine el ciclo de las terribles pruebas, cuando el «Final de los Tiempos» esté consumado con el paso de Hercólubus, los espíritus desencarnados de toda la población terrestre verán aparecer, en la

Cuarta Dimensión, al Sublime Rey y Señor del Reino de la Luz Dorada en medio del glorioso esplendor de su Corte Celestial... La separación de ambas multitudes se habrá hecho ya, automáticamente, por la diferencia vibratoria correspondiente a cada grupo, según las explicaciones metafísicas dadas en los capítulos de las partes precedentes, al tratar de la Vida en la Cuarta Dimensión, y todos aquellos que no hayan alcanzado a superar los niveles inferiores y promedios del Plano Astral, irán a formar parte de la nueva población espiritual del gigantesco planeta Hercólubus, en el sistema estelar de Tila, atraídos por la afinidad vibratoria de aquel astro, que como dijimos, se encuentra en un nivel comparable al grado de evolución que existía en la Tierra en los tiempos de la pre-humanidad. Para quienes, en medio de su atraso moral, conserven el recuerdo subconsciente de haber vivido en un mundo mejor, conociendo posiciones de vida y civilización muy superiores, el tener que encarnar y permanecer por muchos milenios encadenados a un mundo inferior, de las tristes perspectivas de aquel astro, será, en verdad, un pavoroso infierno... Pero dentro de la admirable sabiduría divina, esta inmigración de espíritus que llegue a Hercólubus, lo ayudará a progresar en el curso de su propia evolución milenaria con la inyección de nuevas fuerzas civilizadoras que permitan el desarrollo, a través de los tiempos, de otra civilización en los confines del Cosmos...

En cuanto a los seres clasificados como «las ovejas» de Cristo, permanecerán en los dominios espirituales de la Cuarta Dimensión del Planeta Tierra, en espera de las condiciones favorables que han de transformar este mundo, según la promesa divina de que «SU REINO BAJARÍA A LA TIERRA».

CAPÍTULO 20

La Nueva Era

En los capítulos finales del Apocalipsis, 21 y 22, el simbolismo alegórico de las profecías nos muestran el cumplimiento de la Promesa Crística. Comienzan con la visión de «un cielo nuevo y una Tierra nueva: porque el primer cielo y la primera tierra se fueron»... Claramente se comprende que, después del paso de Hercólubus, el planeta habrá cambiado totalmente. Nuevos continentes reemplazarán a los actuales, y por tanto serán nuevas tierras las que se muestren a la luz del Sol. Y como la poderosa atracción del gigantesco visitante habrá atraído a la Luna, llevándosela consigo en su perpetuo girar en torno a Tila, y producirá el cambio de nuestro eje, haciendo rotar a la Tierra en una forma diferente a la actual, es lógico que una nueva fisonomía del firmamento aparezca desde entonces, pues la posición de todas las constelaciones habrá cambiado desde el nuevo ángulo de observación terrestre: serán «una tierra y un cielo nuevos...»

Al mismo tiempo, en esos capítulos se nos muestra el descenso a este mundo de la nueva «ciudad de Dios», «la Nueva Jerusalén, de oro y piedras preciosas» cuya descripción constituye un conjunto simbólico de profundas alegorías en que, de nuevo, se manifiesta la intervención de los números-clave. Si estudiamos con detenimiento las detalladas y minuciosas descripciones del texto, y aplicamos el mismo procedimiento explicado al tratar sobre los números-clave, comprobaremos que todo ese conjunto de versículos encierra una maravillosa y extensa referencia a las nuevas condiciones de vida, civilización, nivel de humanidad, cultura y elevación moral y espiritual de la nueva raza que poblará la nueva Tierra, o sea este mismo planeta, regenerado. Es decir, el establecimiento de una nueva humanidad que realice aquí el ideal crístico. En otras palabras: la Nueva Era, el nuevo ciclo o Revolución Cósmica de 28.791 años, que comenzarán en el año 2001, en que termina el actual.

Será entonces cuando se realicen las partes más importantes de la Gran Misión que nuestros Hermanos Mayores del Reino de Munt han comenzado a ejecutar. Pasados los cataclismos y todas las formidables transformaciones, nuestra planeta seguirá un tiempo afirmando y estabilizando su nueva topografía. Y para que pueda ser habitado otra vez, tendrán que desaparecer todas las causas de perturbación que impidan el florecimiento de una nueva vida en su suelo. En ello intervendrán directamente los superhombres de Ganímedes. Ya hemos dicho que, antes del exterminio total, habrán sido trasladados a su reino todos aquellos que, mediante el gran poder de clarividencia del sexto sentido de los hombres de Munt, fueron descubiertos y salvados. Para los profanos que lean esto, debe explicarse que aquel sexto sentido permite a los tripulantes de los Ovnis apreciar desde sus máquinas la brillante luminosidad de las auras, a través de cualquier muro, techo, o lo que sea. Por eso, han estado y están visitando constantemente todos los centros poblados de este mundo. No necesitan bajar, más que cuando van a recoger a alguien, pues desde la altura saben muy bien dónde se encuentra cada uno de los poseedores de «las blancas vestiduras del Reino». Y cuando se acerca el momento propicio para el viaje, cada uno de ellos sabe con anticipación que vendrán a recogerlo...

Y la preparación que reciban en Ganímedes los capacitará para ser, después, a su retorno a este mundo, los progenitores de la

Nueva Raza, los fundadores efectivos de la NUEVA ERA... Por eso es necesario que sean trasladados en cuerpo físico, hombres, mujeres y niños, para que acondicionados en el Reino de Munt a semejanza de sus maestros de ese mundo, puedan alcanzar varios siglos de existencia y procrear, en la nueva Tierra, hijos con el sexto sentido y con una educación similar a la que se obtiene en ese reino de superhombres.

Mientras nuestros coterráneos sean preparados así para el cumplimiento de tan hermoso destino, los hombres de Munt trabajarán durante largo tiempo en el reacondicionamiento de la Tierra, a fin de hacerla nuevamente habitable. Su ciencia y su técnica les permitirán eliminar totalmente la radiactividad y los restos de isótopos radiactivos que quedaron en todo el planeta como consecuencia de la locura bélica de la extinta humanidad. Los nuevos continentes serán sembrados con semillas traídas desde su mundo para extender una nueva flora en todas partes. Todos los gérmenes peligrosos o negativos que puedan amenazar la perfecta iniciación de una nueva humanidad serán eliminados de este mundo, asegurando así la existencia de los nuevos pobladores en un mundo como el de ellos, exento de enfermedades...

Y cuando las condiciones lo permitan, volverán a traer a todos los hijos de este mundo que fueron salvados del desastre. Una nueva civilización comenzará a florecer aquí, a imagen y semejanza del Reino de Munt, sobre la base de los hombres y mujeres que fueron «salvados» por ser dignos precursores de aquel Nuevo Mundo que se construirá en la Tierra, bajo la sabia y amorosa dirección de las Sublimes Inteligencias del Reino de la Luz Dorada, y con la cooperación fraternal de sus Hermanos de Ganímedes...

Un nuevo reino de paz y de armonía, de Luz, de AMOR y de VERDAD habrá nacido en la Tierra de entonces. Y los últimos pasajes del Apocalipsis habrán tenido su más fiel realización, pues con los cambios sufridos se habrá modificado hasta el clima, ya que al cambiar de posición el eje de rotación, y modificarse totalmente los polos geográficos y magnéticos, nuestro planeta gozará de condiciones ambientales diferentes. Los crudos y marcados fenómenos meteorológicos habrán sido reemplazados por una perpetua primavera en todas las regiones del globo y una nueva luz permanente que llenará hasta los más recónditos y cerrados recintos, habrá reemplazado a la variante luz del Sol... Con esto se cumplirán también aquellos versículos 4 y 5 del Cap. 22, que dicen: «Y verán Su cara; y Su nombre estará en sus frentes». «Y allí no habrá más noche; y no tiene necesidad de lumbre de antorcha, ni de lumbre de Sol: porque el Señor Dios los alumbrará; y reinarán para siempre jamás». Esta última profecía nos lleva también a las últimas explicaciones que nuestros Hermanos nos dieron para completar este Mensaje.

En el curso de toda la obra se ha mencionado al Reino de Cristo como el REINO DE LA LUZ DORADA. Hasta ahora, se ha entendido como referente, de manera exclusiva, al Sol... Pero la última profecía señalada en el Apocalipsis nos abre un nuevo interrogante. Y ese interrogante se une a la pregunta que muchos, los más observadores, se habrán hecho: si hemos pensado que el Sublime Espíritu de Cristo era Rey del Sol, ¿cómo podríamos explicar el misterio de que su dominio se extendiera también a Hercólubus, siendo este planeta de un sistema estelar diferente al solar? Y ¿qué significado tendría la última profecía mencionada, en cuanto a que no tendrán ya necesidad de la luz del Sol?

Una vez más tendremos que referirnos a la Gran Pirámide de Egipto y a la asombrosa sabiduría de los hombres que la construyeron. Y esto servirá como comprobación definitiva de que el origen primordial de ambas fuentes proféticas, a través del tiempo y la distancia, ha sido siempre el mismo. En la Pirámide de Keops y en algunos de los más secretos papiros del antiguo Egipto, existen marcadas y enigmáticas alusiones a la estrella Alción, de la constelación del Toro, y su gran sistema estelar. Igualmente, en la Biblia, en el libro de Job, capítulo 38, versículo 31, hablando Dios a Job, le dice: «¿Podrás tú impedir las delicias de las Pléyades o desatarás las ligaduras del Orión?» Y en el versículo 33: «¿Supiste tú las ordenanzas de los cielos?» ... Si tenemos en cuenta que la estrella Alción pertenece al grupo que nuestros astrónomos denominan «las Pléyades», y que desde Ganímedes se informa que, para aquel entonces, la Tierra y todo nuestro sistema solar habrá ingresado en una zona de «perpetua Luz Dorada» que abarca un perímetro de muchos años-luz en los dominios del astro que nosotros conocemos como «estrella Alción», y que esa luz será de tal naturaleza que se encontrará presente en todas partes, alumbrando hasta los más recónditos lugares, aquella profecía del capítulo 22 del Apocalipsis adquiere ya un realismo astronómico de trascendental importancia.

En cuanto a la otra pregunta, relacionada con los alcances siderales del Reino Cósmico del Cristo, se nos dio esta enigmática respuesta: «Si en vuestro mundo, los reyes de Inglaterra, simples mortales, fueron los soberanos simultáneamente de Gran Bretaña, Canadá, Australia, India y de todas las colonias repartidas, en otro tiempo, en los diferentes continentes de la Tierra»... «¿Puedes tú negar que el Sublime Reino de la Luz Dorada sobrepase los límites pequeños de la familia de astros que vosotros denomináis «sistema solar», y que el imperio celestial de Nuestro Señor y Maestro, Dios del Amor y del Perdón. Camino de la Luz, de la Verdad y de la Vida, alcance también los límites de aquella gran familia estelar a la que vuestros científicos bautizaron con el nombre de un animal astado...?» «Espera, que al venir a vivir entre nosotros, aprenderás todo esto y mucho más...»

Ante tal respuesta, huelga todo comentario. Sólo nos resta decir que la Promesa de Cristo, al cumplirse íntegramente en la Tierra ya purificada para siempre, dará a esa gran legión de espíritus que fueron considerados «Sus Ovejas», el reino que todos anhelamos. Porque al ir renaciendo en los cuerpos procreados por los «elegidos», serán superhombres como sus hermanos de Ganímedes.

Construirán una nueva civilización, educados y guiados por ellos, según los moldes del Reino de Munt, y vivirán ya en un mundo que, alumbrado por la LUZ DORADA, esa luz a que los últimos versículos del Apocalipsis llaman «la Luz de Dios», que iluminará hasta el fondo de las almas, será la expresión material y moral del dulce y placentero paraíso, sin maldad, dolor ni muerte, que el Sublime Maestro había predicado, dos mil años antes, en las riberas del Jordán...

En los últimos tiempos, se han escrito muchos relatos fantásticos de ciencia-ficción sobre este tema. Pero lo que se narra y describe en las páginas de este libro, no es novela ni ciencia-ficción.

Es el mensaje verídico de quienes, en las horas postreras de esta civilización, desean ayudar positivamente a los que estén preparados para ello.

Como siempre se ha dicho en los Evangelios: «Los que tengan ojos, que vean; los que tengan oídos, que oigan».

YOSIP IBRAHIM

Nota: El episodio que se narra en la primera parte de este libro, tuvo lugar el año 1972 en Lima (Perú) de la misma manera que se explica en esta obra.

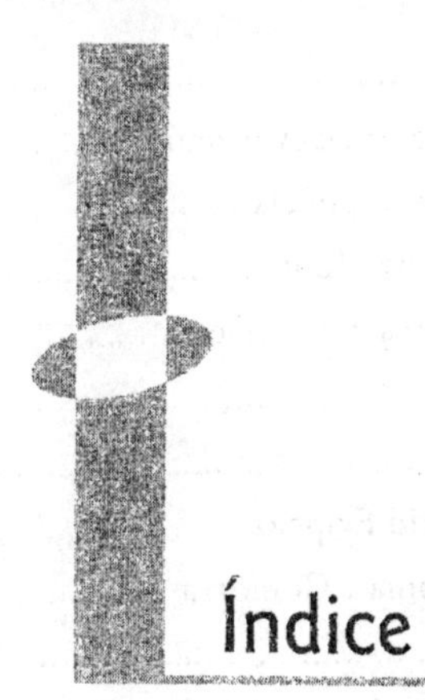

Índice